新型コロナ
19氏の意見

われわれはどこにいて、どこへ向かうのか

農文協編

JN006573

農文協
ブックレット

はじめに

COVID-19（Coronavirus Disease 2019）――これが「新型コロナ」と通称される感染症にWHOがつけた正式名称である。中国湖北省武漢市で遅くとも2019年12月上旬には発生していたとされるこのウイルス性感染症は、またたくまに世界中に広がった。4ヵ月経った2020年4月9日時点で、世界の感染者は150万人、死者は8万8000人に達している（経過は7～9頁参照）。いまも終息の気配はみえず、各国の医療従事者は、自らの身を感染の危険にさらしながら、日夜この病とたたかっている。

中国からイタリア、スペインなど欧州各国へ、さらに米国へと感染が拡大するにつれ、各国の指導者はつぎつぎに緊急（非常）事態宣言を発令し、移動制限、外出禁止、営業自粛などの対策を進めてきた。市民生活や企業活動に与えた影響は甚大で、すでに大恐慌の兆しさえみえている。

振り返ってみれば、これまでも人類はペストや結核といった感染症に苦しめられてきた。ウイルスを病原体とする感染症では、1918年から1919年に世界を席巻した「スペイン風邪（インフルエンザ）」の際は、諸説分かれるが、世界人口の約30％が罹患し、5000万～1億人が死亡したと推計されている。日本でも45万人の尊い命が失われた。しかし、今回の新型コロナのように、一つのウイルスの感染対策のために世界各国が社会・経済機能を停止させるというのは未曾有の事態といえるのではないか。

はたして、われわれはどこにいてどこに向かおうとしているのだろうか。

ひとつ危惧されることは、「命の危険」という絶対的ともみえる切り札を前に、このパンデミックとその対処法をめぐる議論が一面化してはいないかということだ。新型コロナとそれが引き起こした事態について、現段階で判断するのはあまりに早計とはいえ、議論の方向を「ひらく」必要はあるのではないかと考えた。

そこで編集部は、パンデミックが急速な拡大を続けていた3月下旬、広い分野の方々に寄稿をお願いした。ウイルス学や国際保健学をはじめ、哲学、医療人類学、文化人類学などの研究者、海外の辺境の地を取材するジャーナリストや探検家、医師や食生活研究家、そして農家……。その多角的・複眼的な視点から、新型コロナとそれがもたらした社会現象について論じていただいた。

ウイルスと人間との関係は、長い地球の生命と人類の歴史とともにあり、一筋縄ではいかない。そしてまた、新型コロナが「人獣共通感染症」の一種である以上、人間の側からばかりでなく、野生動物や家畜の側からみる必要もある。われわれをいま恐怖に陥れているウイルスは、他のコロナウイルスと同様に、農業関係者を悩ませてきた口蹄疫ウイルスや鳥インフルエンザウイルスなどと同じRNAウイルスの一種なのだから。いま、地球環境全体に人類が影響を及ぼすようになった時代を、新生代第四紀完新世から区分して「人新世《アントロポセン》」と呼ぶ見方があるが、新型コロナはまさに人新世の落とし子（鬼っ子）なのかもしれない。

それと同時に、この感染症とその影響がこれだけ急速に広がる原因となったわれわれの社会や経済システムの脆弱性に、この際しっかりと目を向ける必要があるだろう。

そこに新型コロナ禍という大きな災厄を希望に変える手がかりもみえてくるはずである。

＊

ここに収録された原稿を受理した日付けはそれぞれの記事の末尾に記した通りだが、ほとんどは日本で緊急事態宣言が発せられた4月7日以前のおおむね2週間ほどの間に脱稿している。事態の先行きがまったくみえない状況のなかで、勇気をふるい、短期間に原稿を仕上げてくださった19氏と農業高等学校のお二人に深く感謝する次第である。

新型コロナウイルス感染症の一日も早い収束を願ってやまない。

本ブックレットが新型コロナに関する議論を開放し、掘り下げるきっかけとなれば幸いである。

２０２０年4月10日
農山漁村文化協会 編集局

目次

Ⅳ　歴史と世界に視点を広げてみる

V パンデミック後の社会に希望をみる

新型コロナウイルス感染症（COVID-19）をめぐる動き

…………２０１９年…………

12月8日　中国湖北省武漢市当局はこの日、最初の**「原因不明肺炎」患者が発症**したとしている。

12月30日　武漢市の眼科医**李文亮**氏はＳＡＲＳに似たウイルスによる症例に気づき、同僚医師に対してＳＮＳで警告。現地警察はデマで秩序を乱したとして訓戒処分に。

12月31日　武漢市当局は原因不明のウイルス性肺炎の発症が相次いでいると発表。27人の症例が確認され、うち重体が7人。患者の多くは市内中心部の華南海鮮市場の店主ら。

…………２０２０年…………

1月1日　**華南海鮮市場**が感染拡大予防のため閉鎖される。

1月11日　武漢市当局は新型コロナウイルスによる肺炎で61歳の男性患者が死亡したと発表。**最初の死者**とされる。

1月16日　厚生労働省は、武漢市に渡航歴のある神奈川県在住の30代男性が日本国内で肺炎の症状を訴え、ウイルス検査で陽性反応が出ていたと発表。**日本国内での初の感染者**。

1月20日　中国・国家衛生健康委員会ハイレベル専門家グループの鍾南山グループ長は、武漢市で大量発生している新型コロナウイルス感染症について**ヒトからヒトへの感染**が確認されたと発表。

1月20日　米国プリンセス・クルーズが運用する大型クルーズ客船**ダイヤモンド・プリンセス号**が横浜港を出港。香港で下船した乗客の1人が新型コロナウイルスに感染していたことが2月1日に判明。

1月23日　中国政府は、新型コロナウイルス流行の中心地である**武漢市を封鎖**。

1月24日　中国の春節がはじまる。

1月25日　中国の旅行会社を統括する中国旅行社協会は、中国政府の要求に基づき、国外旅行を含む全ての団体ツアー旅行を1月27日から一時禁止すると決定。

1月28日　日本政府は新型コロナウイルスによる感染症について、感染症法上の指定感染症に指定する政令を閣議決定。

2月3日　ダイヤモンド・プリンセス号が乗客２６６６人、乗員１０４５人、計３７１１人を乗せ、横浜港に到着。４日午後、運営会社が下船延期を決定。

2月4日　中国の張永振らの研究チームは呼吸器疾患で武漢の病院に入院した海鮮市場の男性従業員の肺の分泌物の一種の検体から**新型コロナウイルスのゲノム塩基**

2月5日　**配列を解読**。科学誌Natureに発表。

2月7日　ダイヤモンド・プリンセス号内で10人の新型コロナウイルス感染者を確認。日本当局は、乗員乗客を19日までの14日間、船内で待機させ、検疫を行うと発表。

2月11日　新型コロナに警鐘を鳴らした武漢市の李文亮医師が患者からの感染により死亡。

国際ウイルス分類委員会コロナウイルス研究グループ（CSG）は、病原体となるウイルスを重症急性呼吸器症候群コロナウイルス種に属するSARS-CoVの姉妹として正式に認知し、**SARS-CoV-2**（Severe Acute Respiratory Syndrome Coronavirus 2）と命名。

WHO（世界保健機関）はSARS-CoV-2を病原体とする病気の正式名称を**COVID-19**と定める。この名称は、「Coronavirus Disease 2019」（2019年にコロナウイルスにより発生した病気）を意味する。

2月13日　ダイヤモンド・プリンセス号の乗客で神奈川県在住の80代女性が新型コロナウイルス感染症で死亡。**日本人初の死者**。

2月17日　ダイヤモンド・プリンセス号の乗客の帰還のために、米国はチャーター機2機を派遣し、328人を帰国させた。以後韓国、オーストラリア、香港、イスラエル、カナダなど他国・地域も追随。

2月19日　ダイヤモンド・プリンセス号内の乗客・乗員のウイルス検査が終了。健康観察期間（14日間）を発熱などの症状がなく経過し、陰性と判定された乗客（約500人）の下船が認められ、21日にかけて該当する乗客が下船。一方、18日時点で新たに88人の感染が確認され、これによって確認された船内の感染者数は542人にのぼった。

2月27日　第15回新型コロナウイルス感染症対策本部において、安倍晋三首相が全国全ての小学校、中学校、高等学校、特別支援学校について、週明け3月2日から春休みまで**臨時休業**を行うよう要請。

2月28日　北海道知事が「緊急事態宣言」。道民に外出自粛を要請。

3月4日　国内の感染者が1000人を超える。

3月8日　WHOは、新型コロナウイルスの感染者が105ヵ国・地域で確認されたと発表。感染者は世界全体で10万5586人、死者は3584人。

3月11日　WHOのテドロス事務局長は、新型コロナウイルスについて「**パンデミック**（世界的流行）とみなせる」と表明。WHOがパンデミックの呼称を使うのは、2009年の新型インフルエンザ以来11年ぶり。

3月13日　緊急事態宣言が出せる**改正特別措置法**が国会で成立。

3月19日　イタリア政府は、新型コロナウイルス感染による死者が同日、3405人に達し、中国の死者数を上回ったと発表。

3月24日　安倍首相と国際オリンピック委員会（IOC）のトーマス・バッハ会長が電話協議で東京オリンピックを1年程度延期することで合意。

3月25日　小池百合子都知事、東京は「オーバーシュート（感染爆発）の重大局面」にあるとし、週末の外出自粛を要請。

3月27日　米国疾病対策センター（CDC）は、米国内では新たに1万7000人近くの新型コロナウイルスへの感染が確認され、感染者は8万5356人と初めて中国を上回ったと発表。

3月29日　タレントの志村けんさん（70）が新型コロナウイルス感染による肺炎で死去。

4月1日　安倍首相が国内全世帯に布マスク2枚を配る方針を表明。

4月3日　米ジョンズ・ホプキンス大学システム科学工学センター（CSSE）の集計によると、新型コロナウイルスの世界全体の**感染者数が累計100万人**を超え、死者も5万人を突破し、約5万3000人に達した。感染者数は3月26日に50万人を超えたばかりで、わずか1週間余りで倍増した。政府・与党は所得が減少した世帯へ現金30万円を給付する支援策を決定。

4月7日　安倍首相、新型コロナ対応の特別措置法に基づく**緊急事態宣言**。東京、神奈川、埼玉、千葉、大阪、兵庫、福岡の7都府県が対象で、期間は大型連休が終わる5月6日までの1ヵ月間。

4月8日　武漢市の封鎖（交通規制）が2ヵ月半ぶりに解除される。

4月15日　CSSEの集計によると、新型コロナウイルスの世界の**感染者数が累計200万人**を超えた。最多は米国の約61万人で、スペイン（約18万人）、イタリア（約16万人）などが続く。2週間を経ずに倍増した計算。死者は12万8000人を超えた。約2万6000人の米国が最も多く、次いでイタリア（約2万1000人）、スペイン（約1万9000人）、フランス（約1万6000人）、英国（約1万2000人）の順。

4月16日　安倍首相、**緊急事態宣言の対象地域を全国に拡大**。また新型コロナウイルスに対する経済対策として、所得が減少した世帯向けに30万円を支給する当初案を見直し、所得制限を設けずに国民に**一律10万円を給付**すると表明。

（まとめ・編集部）

巻頭言

恐怖の報酬

「気持ち悪さ」の向こうに見えるもの

哲学者　内山 節

いま世界に蔓延している新型コロナウイルスについて、現在まとまった原稿を執筆するのは不可能に近い。これからどのように展開していくのかもわからないし、これまでの経緯がどのようなものだったのかも、正確にはわからない。おそらくこの問題を語るには、これから年単位の時間が必要になるのだろう。ゆえにこの原稿も、現時点での覚え書きのようなものである。

新型コロナウイルス問題に対しては、ほとんどの人が同じような感覚をもっていることだろう。その感覚は、不安というより気持ち悪さといったほうがいい。その気持ち悪さはふたつのことからきている。ひとつはコロナウイルス自体がよくわからないこと、もうひとつはこのウイルス感染とともに展開している私たちの社会の気持ち悪さである。

正体不明のウイルスの気持ち悪さ

第一の点についていえば、新型コロナウイルスがどのようにして、なぜいま発生したのかもよくわからない。一応中国の武漢あたりで野生動物を食べた人から感染がはじまったということになっているが、実際にはさまざまな異説もある。仮にそうだとしても中国では遙か昔からさまざまな野生動物が食べられており、なぜいま人から人に感染するウイルスに変異したのかは謎である。さらにどのように感染していくのかも完全にはわかっていない。これも一応は飛沫感染と接触感染ということになっているが、この広がり方をみると空気感染もありそうだし、われわれが気づいていないい感染の仕方も存在するのかもしれない。

インフルエンザウイルスなら、湿度と気温が高くなれば力を失ってくるが、コロナウイルスにそれが当てはまるのかどうかもわからない。仮に気温や湿度は関係ないとすれば、自然に感染拡大が終息することもなさそうだし、終息があるとすればほとんどの人が感染し、抗体をもつようになるのを待たなければいけないのかもしれない。もちろんワクチンによって抗体をもたせるという方法もあるが、インフルエンザワクチンがそうであるように、ワクチンがどれほどの効果があるのかも不明である。

なぜ重症化する人と、本人も感染に気がつかないほどに軽度の人がいるのかもわからないし、ウイルスは突然変異を起こしやすいということも頭に入れれば、素早い変異がくりかえされて、さまざまなコロナウイルス感染が発生していく可能性もないとはいえない。現在でも、たとえばイタリアなどでは死亡率の高いウイルスへの変異が起こったのではないかと疑っている人もいる。

要するに新型コロナウイルスの性格もその正体も、現状ではよくわからないのである。わからないということが、このウイルスの気持ち悪さを生みだす。

真実は伝えられているのか

だが、このことだけが現在の気持ち悪さの原因なのかといえば、それだけではないだろう。もうひとつ、コロナウイルスの蔓延とともに展開している現代社会の気持ち悪さがある。

たとえば、インフルエンザなどと違って、世界はなぜこれほどあわてているのだろうか、という疑問がある。インフルエンザでは、日本は毎年１０００人から５０００人くらいが亡くなっているし、アメリカではこの１年間に5万人くらいが亡くなった。しかしインフルエンザでは非常事態宣言のようなことはしていない。ここから推測されることは、何かを隠しながら各国が対策をすすめているのではないかという疑いである。強引な推測をすればコロナウイルスがきわめて悪質なもので、治癒した後もさまざまな疾病をもたらすとか、このウイルスが人工的につくられたもので自然的な制御が難しいというような、各国が焦らなければいけない理由があるという推理も成り立つ。

私自身はこれらのことを心配しているわけではないのだが、政府の発表が真実に基づいているとはいえないのが、私たちの暮らす世界であることは考えておいてもよいだろう。つまり私たちは、真実を伝えられないままに、政府の指示に従うという実に気持ちの悪い世界でくらしているのである。

中国に浸食された世界経済の現実

だが世界中が大慌てした理由は、別のところにあるような気がする。それはこの新型ウイルスが、中国から生まれたということに起因している。もしもアメリカやヨーロッパから発生したものであったのなら、かなり異なる展開を遂げていたのではないだろうか。

中国で新型ウイルスが発生したとき、多くの国で中国に対するさげすみと嘲笑が発生した。都市封鎖をはじめたときにも、民主主義や自由を理解しない独裁国のやり方だという見方が多くの国でなされた。フランスのマクロン大統領などは、公然とそういう発言をしている。ここにはアジアや中国に対する差別意識が流れていたといってもよいだろう。しかも中国は別の意味でも気味の悪い国だった。海洋進出や一帯一路の推進をすすめながら、世界の次の時代の支配者になろうという意志を隠そうともしない国である。そういう中国に対する薄気味悪さが重なりながら、中国で生まれたウイルスの薄気味悪さが増加したといってもよい。

ところが中国が事実上の国境封鎖に踏み出すと、今日の世界の経済がいかに中国依存型になっていたのかを思い知ることになった。新型コロナウイルスを材料にして工場の国内回帰をすすめ、中国経済を弱らせていこうという企みを実行する前に、さまざまなものが中国の生産力に浸食されている現実を直視させられることになったのである。日本でも、マスクひとつをみても、その8割以上が中国製になっていた。中国からの部品が届かなければ、日本の自動車工場も生産ラインを止めるしかない。そして、中国に浸食された世界経済の現実をあらためて知ることによって、コロナ問題は中国への恐怖と重なった。コロナウイルスとともにとてつもなく危険なものが、この世界のなかで展開しているという印象を与えたのである。

しかもはじめにヨーロッパ諸国で、つづいてアメリカも加わって、現実に感染者数と死者数が増えていく。この状況のなかで、まるで恐怖に駆られたような国境を封鎖する動きや社会活動の封鎖が広がっていった。

国家の政治的決定と学問による権威づけのいかがわしさ

このような状況のなかで、各国の政治的指導者たちは、軒並み強い指導者を演出するようになった。「自分たちの国が守れるかどうかの危機に、いまわれわれは立たされている。国民は団結してこの危機を克服しよう。私はいまその先頭に立っている」。

トランプも安倍も、ヨーロッパ諸国の首相や大統領たちも、さらにはアジアの政治的指導者たちも、いま言っているのはこういうことだ。しかもこの動きがすんなりと社会化される雰囲気が世界をおおっている。私たちはこの状況に気持ち悪さを感じないわけにはいかないのである。

新型コロナ問題は、イデオロギーに満ちた出来事であり、現代世界のなかで発生した問題なのである。ゆえに展開していくすべてのことがいかがわしさに包まれている。そして政治的な決定に、それが正しいかのような正統性を与えているものが、国家の権威であり、さらには科学的と称する「学問」による権威づけである。このかたちは近代的世界が生まれてからは何も変わっていない。国家、国民という名においておこなわれる正当化。科学的、専門家の知見というかたちですすめられる正当化。このふたつのものが、近代的世界においては、つねに社会統制のイデオロギーとして機能してきた。

ウイルスも人間も関係し合う世界に生きている

だが、そういうさまざまな気持ち悪さに包まれながらも、私たちが覚悟しておかなければいけないことがある。それは好むと好まざるとにかかわらず、私たちはこのコロナウイルスとも共存していかなければならないということである。このウイルスが死滅することはないだろうし、これからも変異しながら存在しつづけるだろう。たとえ不都合な生き物であったとしても、共存していくしかない。

そして、そのことを決意するとき、私たちの生命観も変更を求められるかもしれない。

私は、ウイルスは関係のなかに生存基盤をもっているのだと感じている。人と人が関係し合う世界があり、ときに自然の生き物と人間との関係し合う世界がある。この関係のなかで移動し、ときに増殖し、ときに変異していく。個別の体内に入って増殖するだけなら、その寄生先が命を失えば、ウイルスも生きる場所を喪失する。もちろんウイルスは、ときに寄生先に死をもたらすけれど、それでもウイルスの生命世界が存続するのは、ウイルスが個別的生命体ではなく、関係のなかで生きつづける生命体だからではないだろうか。

本当は人間もまた、同じような生命体なのである。自然との関係のなかで、人々との関係のなかでたえずそれぞれの生命を再生産している。誰かが亡くなり、誰かが生まれる。そうやって維持されているのは、関係し合う世界だけである。人間もまた、そこに生命的基盤をもっている。

ところが人間は、それぞれが個別的生命体だと思っている。そういう精神現象をもちながら生きているのが人間なのだが、生命を個別的に捉える人間が、関係のなかで生きるウイルスに襲われ、そのことに恐怖を感じている。そして、現在そのようなことが起こっているのだとすれば、恐怖の報酬は、現代世界の気持ち悪さの正体を見きわめることだけではなく、私たち自身の生命観の捉えなおしでなければならないのだろう。

（２０２０年４月８日記）

うちやま・たかし　１９７０年代より、群馬県上野村と東京を往復して暮らす。『かがり火』編集長。近著『修験道という生き方』（共著、新潮社）、『内山節と読む　世界と日本の古典50冊』（農文協）。『内山節著作集』（全15巻）が農文協から出ている。

I

ウイルスと人間の関係からみる

ウイルスとは何かを知れば、向き合い方が見えてくる

北海道大学人獣共通感染症リサーチセンター教授／獣医学・ウイルス学　髙田礼人

「新型」たるゆえん

新型コロナウイルスは、いったい何が「新型」なのか。本稿は話をそこから始めてみよう。

コロナウイルスとは、主に次の共通する特徴を持ったウイルスの仲間だ。

・球形で表面にタンパク質の突起（スパイク）を持つ
・ウイルスの遺伝子としてＲＮＡ（リボ核酸）を持つ
・ウイルス遺伝子を包むエンベロープという膜を持つ

コロナウイルスという名称は、その形態に由来する。球形でスパイクを持つ外観が「王冠（英語でcrown）」に似ていることから、ギリシャ語で「王冠」を意味する「corona」と名付けられた。

コロナウイルスには何百という種類があり、哺乳類や鳥類に病気を引き起こすものが多い。これまで、ヒトに感染して病気を引き起こすコロナウイルスとして、6種が知られている。症状が出るのはいずれも呼吸器系だ。

このうち4種は、ヒトに日常的に感染し、いわゆる風邪症状を引き起こす。風邪の10～15％（流行期には35％）は、これら4種のコロナウイルスを原因とする。風邪の原因のなかでもポピュラーなウイルスである。残る2つは、ＳＡＲＳコロナウイルス（学名：SARS-CoV）とＭＥＲＳコロナウイルス（学名：MERS-CoV）で、ヒトに感染すると重症肺炎を引き起こすことがある。

ＳＡＲＳ（重症急性呼吸器症候群）は、２００２年11月から２００３年７月にかけて、中国広東省を中心に、30を超える国や地域で流行が見られ、その後終息した。ＷＨＯ（世界保健機関）の報告では、８０９８人の感染と７７５人の死亡が確認されている（致死率９・６％）。ＭＥＲＳ（中東呼吸器症候群）は２０１２年９月に中東で流行が広がり、韓国にも流行が飛び火するなど、27ヵ国で症例が確認されている。ＷＨＯの報告では、感染者は２４９４人、うち８５８人が亡くなっている（致死率34・４％）。

いま世界各地で感染が広がっている新型コロナウイルスは、２０１９年12月に、ヒトへの感染が新たに確認されたウイルスだ。それゆえの「新型」である。ただ、新規に発見されたウイルスではあるが、遺伝子配列はＳＡＲＳコロナウイルスとよく似ている。そのため、学名は「SARS-CoV-2」と付けられている。なお、このウイルスがもたらす感染症の正式名称は、ＷＨＯによって付けられた「ＣＯＶＩＤ-19」である。

生物に寄生する無生物

ここで、ウイルス感染症を理解するうえで重要な、「宿主」という概念を説明しておこう。

実は、ウイルスは生物ではない。遺伝子を持つなど、生物的な特徴も兼ね備えてはいるが、ウイルスは、生物として必要な要素を決定的に欠いている。ウイルスは自力で存続もできなければ、子孫を残すこともできないのだ。

ウイルスが自身の遺伝子を複製して子孫を残すには、生物の細胞を必要とする。その生物が「宿主」である。ウイルスは、宿主の細胞の機能を借りて存続しており、生物に依存する寄生体とも言える。ウイルスとは、生物に寄生する無生物なのである。

ウイルスは、宿主なしで存続できない。宿主の細胞の外でのウイルスは、単なる物質である。宿主の細胞の外で時間が経つと、ウイルス粒子の構造が壊れて感染力を失う。これを「不活化（あるいは失活化）」という。ちなみに、洗剤などの界面活性剤やアルコールは、不活化に有効だ。ウイルスのエンベロープ（膜）が、破壊されるからだ。衣類や食器も、洗剤で洗えば感染源にはならない。

ウイルスは、一般的に熱にも弱い。ＳＡＲＳコロナウイルスの場合、65℃で５分間加熱すると、１００万個のウイルスがほぼ不活化されたとの報告もある。仮に食材にウイルスが付いていたとしても、十分に加熱すれば感染源になる心配はない。

無生物たるウイルスだが、おもしろいことに、その存続様式はきわめて生物的だ。ウイルスが生物（宿主）に感染を繰り返すのは、遺伝子を複製して子孫を残すためである。その一点だけ見れば、ウイルスは生物と何ら変わらない。ウイルスとは、生物によく似た無生物なのである。

これも意外に思われるかもしれないが、多くのウイルスは宿主と「共生」している。

ウイルスが、宿主の細胞の機能を借りて自身の遺伝子を残そうとする存在である以上、宿主を死に至らしめることは、自身の存続に不利に働く。ウイルスにとって効率的な生存戦略は、宿主にダメージを与えることなく、宿主が元気に動き回り、自身の遺伝子をあちこちにばら撒いてくれることだ。つまり、ウイルスが宿主と共生するのは、ウイルスにとっては最良の生存戦略なのである。

逆に言えば、宿主とこのような関係を築いたウイルスだけが、長く存続することができる。事実、自然界には、宿主の細胞に棲み着いて、宿主に何の症状も引き起こさないウイルスが多く存在する。ヒトの体内からも、ヒトに病気を引き起こさないウイルスがいくつも見つかっている。このように、ウイルスが安定的に共生関係を築いた宿主のことを「自然宿主」という。

ヒトに風邪症状を引き起こす4種のコロナウイルスは、ヒトのあいだで感染を繰り返して存続しており、ヒトが自然宿主だと言える。対して、ＳＡＲＳコロナウイルスとＭＥＲＳコロナウイルスは、ヒト以外の動物を自然宿主とする。前者はコウモリ、後者はヒトコブラクダが自然宿主だと考えられている。新型コロナウイルスも、コウモリから見つかっているウイルスと遺伝子配列が似ていることから、コウモリが自然宿主だと見られている。

ウイルスは悪者なのか

では、宿主なしに存続できないはずのウイルスが、なぜ宿主を死に至らしめることがあるのか――。それは、端的に言えば事故のようなものだ。

そもそも、ある生物種を自然宿主とするウイルスが、他の生物種に感染するのは容易ではない。ウイルスの感染は、宿主生物のなかである特定の条件を満たした場合にのみ成立する。生物種が変わると、多くの場合その条件も変わり、感染を広げられなくなる。生物種をまたいだ感染には、さまざまな生物学的な壁があるのだ。これを「宿主の壁」という。

ところが、生物種が違っても、その条件がたまたま合致することがある。偶然に、宿主の壁を乗り越えてしまうのだ。SARSコロナウイルスやMERSコロナウイルス、新型コロナウイルスはそのひとつの例だ。コウモリやラクダの体内にいたウイルスが、何らかのきっかけでヒトに感染したのである。

動物を自然宿主としていたウイルスが、宿主の壁を越えてヒトに感染できた場合、ウイルスとヒトの関係は次のどちらかになる。

①ヒトに重い病気を引き起こすことなく、うまくいけばヒトの間で感染を繰り返す（共生）

②ヒトに重い病気を引き起こし、ときに死に至らしめる

この①と②の差は、さまざまな要因に支配される。

例えば、ウイルスがヒトの免疫反応とのバランスを取り、ヒトの体内でほどよく増えることができた場合は、ヒトと共生関係を築くことができる。反対に、ヒトの免疫システムを逃れて爆発的に増えてしまうような場合は、ヒトに重い病気を引き起こし、死に至らしめることがある。

つまり、ウイルスがたまたま宿主の壁を越えてヒトに感染した後で、ヒトの免疫システムと折り合いがつかなかったときに、ヒトに重篤な症状を引き起こすのである。ウイルス感染により宿主が死に至ることは、ウイルスにとっては事故のようなものなのだ。

ウイルスには意志がない。そうである以上、この事故の背景に、宿主であるヒトを傷つけようとする「悪意」が存在するはずもない。ウイルスによる感染症は、たしかに人類にとって脅威である。ウイルスを「敵」とみなす気持ちも分からなくはないが、ウイルスの存在そのものを「悪」とするのは行き過ぎている。

致死率の数字の罠

新型コロナウイルスは、「新型」であるがゆえにヒトに免疫がない。そのため、ウイルスにさらされたときに容易に感染を許してしまうのだろう。また、新型コロナウイルスに感染した場合の発症率は低く、多く

は軽症か無症状（これを「不顕性感染」という）である。それゆえに感染者の捕捉が難しく、感染が広がっているのだろう。ちなみにＳＡＲＳコロナウイルスは、感染するとほぼ重症化したため、感染者の特定が容易で封じ込めに成功した。

本稿執筆中の4月4日時点で、世界での新型コロナウイルスへの感染確認者数は１１２万人を超え、そのうち５万９０００人近くの方が亡くなっている（出典：ジョンズ・ホプキンス大学ウェブサイト）（注1）。このうち、日本の感染確認者数は２６１７人、死亡者数は63人である（出典：厚生労働省ウェブサイト）（注2）。

この数字から致死率を計算すると、世界で５％強、日本で２％台半ばとなる。だが、この数字を鵜呑みにはできない。致死率を計算するときの分母となるのは、あくまでも感染を確認できた人数でしかないからだ。

不顕性感染が多い新型コロナウイルスでは、すべての感染者を捕捉することは不可能だ。実際の政策でも、世界のほとんどの国で、外国からの帰国者や感染者との接触者で重症化リスクの高い人が優先的に検査されてきたと思われる。つまり、致死率計算の分母が明らかに少ないと言えるのだ。実際の感染者は、検査で陽性となった人数の少なくとも数倍～10倍はいると考えるのが、多くの専門家（ウイルス学者や感染症学者）の見立てだろう。そう考えると、実際の致死率は、高くても０・５％程度となる。

なお、全数検査を実施したクルーズ船「ダイヤモンド・プリンセス号」の例では、致死率は１％ほどだった。乗船者は高齢者が多いと思われること、高齢者は症状が重くなることを考えると、実社会（少なくとも先進国）ではこれより少し低いと考えられる。また、検査を比較的徹底していると言われる韓国でも、致死率はやはり２％以下だ。それでも不顕性感染をすべて捕捉することは不可能であり、実際の致死率はもっと低いと考えるべきだろう。となると、高くても０・５％程度という見立てであながち間違ってはいないかもしれない。

この致死率は、新型コロナウイルスの病原性が、さほど高くはないことを示している。同じコロナウイルスによる感染症であるＳＡＲＳは致死率９・６％、ＭＥＲＳは致死率34・４％である。それと比べれば、Ｃ

OVID-19による致死率は、それより随分と低い。なお、毎年季節的に流行するインフルエンザ（季節性インフルエンザ）での致死率は、0・1％程度である。新型コロナウイルスの病原性は、インフルエンザウイルスと比べてやや高い程度と言うことができる。さらに、ワクチンや治療薬がいずれ使われるようになると、インフルエンザ程度に落ち着くかもしれない。

新型コロナウイルスだけではない

かような病原性の程度を考えると、ウイルス学者である立場からは、新型コロナウイルスを巡る世界や日本の反応に、率直なところ複雑な思いを抱いている。

新型コロナウイルスは、ヒトという種の存続を脅かすほどものでは到底ありえない。だが現実は、この病原性のさほど高くないウイルスにより、人間社会は混乱に陥っている。世界がこれほどまでに新型コロナウイルスを恐れ、パニックになっていることに違和感を覚えるのだ。

もちろん、国によっては感染者が爆発的に増え、短期間で多くの死亡者が出ている状況で、人々が恐怖を抱く感情は分かる。それに対して政府が何らかの手を打とうとするのも理解できる。だが、新型コロナウイルス以外にも、ヒトの命を奪っている感染症はある。季節性インフルエンザでは、世界で毎年数百万人が重症化し、数十万人が亡くなっていると推測されている。途上国では、AIDSや結核、マラリアなどの感染症で、一日何千人もが命を落としている。それが大きく報道されることはないし、社会や経済活動を止めるような事態にも至っていない。つまり、社会はそれを「通常状態」として受け入れているのである。

それらと比べたときの、新型コロナウイルスへの反応は、妥当と言えるものなのだろうか。社会や経済活動を止めて、これほどまでの非常事態として対応する合理的な根拠はいったいどこにあるのだろうか。

もちろん、救える命が救えなくなるような、医療崩壊を招くことは何としても避けるべきだし、そのための政策は必要だ。だがそれには、社会や経済をまるごと止めるような対策が最善なのだろうか。感染者というだけで、重症者も軽症者も、ときには無症状者も一緒に指定病院に入院させるようなことをやめるだけでも、医療崩壊を避けることができるのではないか。

このままいくと、感染の拡大によって直接生じる被害よりも、感染拡大を防ごうとする人間の対応による社会的・経済的な影響の方が大きくなる気がしてならない。感染による死者数を減らしても、社会全体が混乱に陥り、それより多くの間接的な犠牲が出るかもしれないからだ。

　新しい病原体がヒトの世界に入ってくると、最初は犠牲者が出るが、最終的にはヒトのあいだで定着するか、病原体が根絶されるかのどちらかだ。これは、人類の歴史のなかで、おそらく何度も繰り返されてきたことだ。

　新型コロナウイルスも、インフルエンザウイルスのように季節的に流行をもたらすようになるかもしれないし、風邪を引き起こすコロナウイルスの一つになるかもしれない。あるいは、人類が集団免疫を獲得したら、ヒトのあいだでは感染できなくなるかもしれない。集団免疫の獲得には、一般的にはワクチンが有効だが、新型コロナウイルスは無症状者や軽症者が多いため、意外に早く集団免疫を獲得する可能性もある。なお、ワクチンの開発や治験には通常数年かかるため、すぐにワクチンができるとは期待し過ぎないほうがよいだろう。

　感染のいち早い収束と、パニックによる二次被害が大きくならないことを願っている。

（２０２０年４月６日記）

（取材・まとめ　萱原正嗣）

たかだ・あやと　エボラウイルスやインフルエンザウイルスなど、人獣共通感染症を引き起こすウイルスの伝播・感染メカニズム解明や、診断・治療薬開発のための研究を行っている。著書に『ウイルスは悪者か』（亜紀書房）がある。

（注1）https://gisanddata.maps.arcgis.com/apps/opsdashboard/index.html#/bda7594740fd40299423467b48e9ecf6
https://hazard.yahoo.co.jp/article/20200207

（注2）https://www.mhlw.go.jp/stf/seisakunitsuite/bunya/0000164708_00001.html#kokunaihassei
https://hazard.yahoo.co.jp/article/20200207

過去のパンデミックに学ぶ ウイルスとの共生

長崎大学熱帯医学研究所教授／国際保健学　山本太郎

三度の新型コロナ出現は何を意味するか

文明を持って以降、人類は常に感染症の流行を経験してきた。文明は、長く、感染症のゆりかごであった。

今回の新型コロナウイルス感染症は、私たちにとって、七番目のコロナウイルス感染症である。四つ（HCoV-229E、HCoV-OC43、HCoV-NL63、HCoV-HKU1）は、通常の感冒症状を示すコロナウイルスで重症化することはほとんどない。一方、残りの三つのコロナウイルス感染症は、２０００年代以降、ヒト社会に出現したもので、重症急性呼吸器症候群（ＳＡＲＳ）、中東呼吸器症候群（ＭＥＲＳ）、そして今回の新型コロナウイルス感染症（ＣＯＶＩＤ-19）である。

これはいくつかの示唆を私たちに与える。第一に、HCoV-229E、HCoV-OC43、HCoV-NL63、HCoV-HKU1も、かつては、野生動物からヒト社会へ侵入し、パンデミックを引き起こし、やがて現在のかたちに落ち着いた可能性が高いこと。第二に、過去数千年でパンデミックを起こしヒト社会に定着したコロナウイルスが四つだったのに対し、過去20年間に3回もの新型コロナウイルス感染症の流行があり、そのなかの一つが今回、パンデミックに至ったという事実である。

そうした事実は、パンデミックは、以前にも起こっていたこと。ただしその頻度は現在よりははるかに低かったということを教えてくれる。だとすれば、現在の新型コロナウイルス感染症の出現は何を意味するの

表　コロナウイルス感染症の種類

ウイルス名	感染経路	臨床症状	治療・予防
・HCoV-229E ・HCoV-OC43 ・HCoV-NL63 ・HCoV-HKU1	咳、飛沫、接触による感染。	○潜伏期間は2〜4日。 ○主に鼻炎、上気道炎、下痢等を引き起こす。 ○通常は重症化しない。	《治療》 ○特定の治療法はなく、対症療法で治療。 《予防》 ○有効なワクチンはない。 ○手指や呼吸器の衛生、食品衛生の維持を心がける。 ○咳、くしゃみなどの呼吸器症状を示す人との密接な接触を避ける。
・SARS-CoV ・MERS-CoV	上記に加え便にもウイルスがいる。	○潜伏期間は2〜10日(SARS-CoV)、2〜14日(MERS-CoV)。 ○上記症状に加えて、 ・SARSでは高熱、肺炎 ・MERSでは高熱、肺炎、腎炎を起こしうる。	

か。コロナウイルスの自然宿主が野生動物であるとすれば、それはおそらく、ヒトの無秩序な生態系への進出と、それによってヒトと野生動物の物理的、生物学的距離が縮まったことがもたらした現代的事象なのかもしれない。

ペスト流行がヨーロッパ社会にもたらした甚大な影響

歴史を振り返れば、私たちは、これまでに幾度ものパンデミックを経験してきた。14世紀ヨーロッパで流行した黒死病（ペスト）や1918年から1919年にかけて世界を席巻したスペイン風邪などである。

14世紀にヨーロッパで流行したペストは、最終的にヨーロッパ全土を覆った。流行は、居住地や宗教や生活様式に関係なくヨーロッパ社会を舐め尽くし、最終的に当時のヨーロッパは、人口の四分の一から三分の一を失う。当時のヨーロッパ社会がいかにこの病気に恐怖したか。ジョヴァンニ・ボッカッチョの『デカメロン（十日物語）』に詳しい。作品の背景には、ペストに喘ぐ当時の社会状況が色濃く反映されている。

「一日千人以上も罹病しました。看病してくれる人も

なく、何ら手当てを加えることもないので、皆果敢なく死んで行きました」（『デカメロン―十日物語』野上素一訳　岩波文庫）

ドイツ・バイエルン州にオーバーアマガウというアルプスに囲まれた小さな村がある。10年に一度、村人総出で世界最大規模の「キリスト受難劇」を上演する(注)。それは、16世紀のペスト流行時の猛威に、神の救いを求めた代わりに、キリストの受難と死と復活の劇を10年に一度上演すると誓ったことに始まり、今に至るまで、400年近く続く。それほど、ペストの恐怖は、ヨーロッパ人の記憶に深く刻まれている。そのペストは、ヨーロッパ社会に大きな影響を与えた。

ペストがヨーロッパ社会に与えた影響は、少なくとも三つあった。第一に、労働力の急激な減少とそれに伴う賃金の上昇。農民は流動的になり、農奴に依存した荘園制の崩壊が加速した。第二は、教会の権威の失墜。ペストの脅威を防ぐことのできなかった教会はその権威を失った。第三は、人材の払底。それはそれまで登用されることのなかった人材の登用をもたらした。結果として、封建的身分制度は実質的に解体へと向かった。同時にそれは、新しい価値観の創造へと繋がった。

半世紀にわたるペスト流行の後、ヨーロッパは、ある意味で静謐で平和な時間を迎えたという。それが内面的な思索を深めさせたという歴史家もいる。そうしたなかで、ヨーロッパはイタリアを中心にルネサンスを迎え、文化的復興を遂げる。ペスト以前と以降を比較すれば、ヨーロッパ社会は、まったく異なった社会へと変貌し、変貌した社会は、強力な主権国家を形成する。中世は終焉を迎え、近代を迎える。これがペスト後のヨーロッパ世界であった。

疾病構造も変化した。

ペスト流行以前のヨーロッパにおいて、ハンセン病は一貫して重要な病気であった。ハンセン病療養所（レプロサリウム）が各地に建設された。13世紀頃、ヨーロッパには2万近い数のレプロサリウムが存在した。にもかかわらず、14世紀に入ると、ヨーロッパで新たなレプロサリウムが建設されることはなくなった。致死率の高いペストのため、多くの患者が亡くなったことは確かであろう。しかしそのために、ハンセン病患者の発生数が急激に減少したとは考え難い。しかし事実はといえば、1348年のペスト流行以降、ハンセン病患者数が流行以前の水準に達することはなかった。理由は未だにわからない。

急性感染症は都市化と共に出現した

病原体の性格が流行の様相を規定することは間違いない。飛沫によって感染するインフルエンザや新型コロナウイルス感染症が、より濃厚な接触が必要な結核やエイズより早い速度で流行し、パンデミックに至ることは直感的に理解できる。

一方で、病原体が同じであっても、流行の速度や規模は、その時々の「社会のあり方」によって異なる。思考実験の域を出ないが、今から千年前、あるいは5千年、1万年前の世界に新型インフルエンザや新型コロナウイルス感染症が、野生動物からヒトへと感染し、流行を始めたとすればどうだろう。流行の様相は現在とは大きく異なったものであったに違いない。

千年前といえば、11世紀初頭の世界であり、日本では藤原北家による摂関政治が行われた平安時代の中期に当たり、中国では北宋が栄え、西ヨーロッパでは、ノルマンディーがイングランドを征服した時期に当たる。世界人口は2億人を超え3億人に迫る。一方、五千年前はといえば、中東の肥沃な三角地帯に古代メソポタミア文明が栄えた時代となる。世界人口は、500万人程度であった。1万年前といえば、人類が一部で農耕や牧畜を始めるが、大半の人は狩猟採集生活を送っていた。人々は、数家族の血縁関係を中心にしたバンドと呼ばれる集団で生活し、日常的には集団外の人々と接触することはなかった。そんななかで新型インフルエンザや新型コロナウイルス感染症が流行を始めたとして、流行は、小集団を席巻するが、そこから外へと広がることはなく、やがて新規感受性者を失った病原体は流行の袋小路に迷い込み、集団から、すなわちこの場合は、世界から消えていくことになった。

それが感染症流行の自然史であった。そうした感染症が社会に定着するには、数十万人規模の都市人口が必要となる。そうした都市人口を人類がはじめて持つに至ったのは、数千年前のこと。その意味では、インフルエンザや麻疹、あるいは天然痘といった急性感染症は、長い人類史のなかで、新しい病気といえる。

パンデミックは社会変革の先駆けとなることも

新型コロナウイルス感染症のパンデミックが今後どのような軌跡をとることになるのか、現時点で、正確に予測することはできない。ただパンデミックが遷延すれば、私たちは、私たちが知る世界とは異なる世界の出現を目撃することになるかもしれない。

それがどのような世界かは、もちろん誰にもわからない。しかしそれはもしかすると、14世紀ヨーロッパのペストのように、旧秩序《アンシャンレジーム》に変革を迫るものになる可能性さえ否定できない。そうした変化は、流行が終息した後でさえ続く。

感染症は社会のあり方がその様相を規定し、流行した感染症は時に社会変革の先駆けとなることがある。そうした意味で、感染症のパンデミックは社会的なものとなる。

歴史が示す一つの教訓かもしれない。

ただ、希望はある。それは、私たち自身の心の持ちようによる。相手を正しく知り、恐れること。非科学的態度はいつの時代においても、事態を良い方向に導くことはない。

ちなみに、「検疫」は、14世紀のペスト流行時にヴェネツィアで始まった海上隔離に起源を持つ。当初、隔離期間は30日であったが、その後40日に延長された。検疫（クアランティン）は、「40」を表すイタリア語が語源となった。そのイタリアは、本文執筆時点で、感染者が9万２４７２人となり、死者は1万人を超えた。国土全土にかけられた移動制限は継続中である。

（２０２０年3月30日記）

やまもと・たろう　専門は国際保健学、熱帯感染症学。アフリカ、ハイチなどで感染症対策に従事。著書『感染症と文明』（岩波新書）など。

（注）２０２０年はオーバーアマガウのキリスト教受難劇にとってまさに10年に一度の上演の年に当たっていたが、新型コロナウイルス感染拡大の影響で２０２２年に延期された。

新しいウイルスとどうつきあうか

「コロナ騒動」から学ぶべきこと

小児科医　山田　真

ウイルスや細菌のほとんどは人間にとって無害

今わたしの周りで起きていることを仮に「2019年コロナ騒動」と呼んでおきましょう。このコロナ騒動は日本では2020年1月末ごろに始まったと思いますが、この騒動の原因になる新型コロナウイルスが出現したのは2019年の暮れごろ、中国でのことだったと言われています。

最初にコロナウイルスについて簡単に説明しておきましょう。人間に感染するコロナウイルスは現在7種類が見つかっています。そのうち4種類は1960年以降に見つかったものですが、ずっと昔からいるウイルスと思われ、人間に大した被害を及ぼしません。ふつうの「かぜ」の20％くらいがこれら4種のコロナによるものと言われてますから、ほとんどの大人はこのどれかによるかぜを経験しているはずです。

残りの3種類は最近になって現れたもので2002年に発見されたSARSコロナウイルス、2012年に発見されたMERSコロナウイルス、そして今回の新型コロナウイルスです。

わたしたちの周りにはウイルスや細菌といった微生物が無数にいますが、これらの微生物のほとんどは人間にとって有益あるいは無害で、ほんの少数の微生物がわたしたちに健康被害を及ぼします。ウイルスも昔から存在するものは人間とも折りあいをつけて共生しようとします。しかし新しい型のウイルスや元々は人間以外の動物に寄生していて人間となじみのないウイルスが人間に寄生した場合、健康被害が起こることがあります。ＳＡＲＳや新型インフルエンザによる健康被害が起こったのは記憶に新しいところですが、今回また恐らく人間以外の動物に寄生していたコロナウイルスが人間に寄生することで騒動が起きてしまいました。

わたしたちのからだは強力な免疫力を持っていますが、新しく出現したウイルスに対しては力が落ちます。また昔から存在しているウイルスについてわたしたちはたくさんの知識を持っていますが、新しいウイルスについては知識がありません。今回のコロナ騒動では日本は先行して中国で大流行があったため、そこで得られた知識を参考にすることができました。例えば「子どもは感染しにくい」とか「発病しても8割は軽症で2割は重症になる」とか言われていました。しかし中国と日本では風土がちがいますし、医療事情もちがいます。ですから日本ではすぐに新型コロナウイルスについて情報を集めることを始めるべきだったと思われます。それには疫学調査が必須だったと思いますが、行われないまま現在に至っています。

そのことも含めて２０２０年3月末というこの原稿を書いている時点でのわたしの思いを書いておこうと思います。

感染防御の専門家が少ないという弱点が露呈した

騒動の最初はダイヤモンド・プリンセス号でした。ここでは大量の感染者をうみ出してしまい、結果的にきわめてまずい対応だったと言わざるを得ません。

この国では大きな事故や災害が起こった際にしばしば想定外という言葉が言いわけめいて使われます。ダイヤモンド・プリンセス号で起こったことも国に言わせれば想定外のこととなるのでしょうが、わたしには日本では感染防御学という学問領域がきわめて貧弱であり、そのためにダイヤモンド・プリンセス号の悲劇がうまれたと思われます。

2月半ばにダイヤモンド・プリンセス号の内部に入った岩田健太郎氏は「船内はウイルス培養器だ」と言いましたが、それは例えば「船内で感染が起こったらまずウイルスがいる危険な区域（レッドゾーン）とまったくいない区域（グリーンゾーン）を分離するのが感染対策の鉄則だが船内ではそれができていなかった」という事実があったからです。また「船内には国立感染研究所の疫学チームや日本環境感染学会の災害時感染制御支援チームなどが入っていたが、実質的な感染防御機能の向上に寄与していないに等しかった」と言っています。

岩田さんは以前から日本の感染症に対する医療は問題点が多いと指摘していました。例えば細菌感染病については原因菌によって適切な抗生物質を使うべきなのですが、日本ではどんな細菌にでも効くと言われる強力な抗生物質が濫用されており、そのために抗生物質が効かない耐性菌と呼ばれる強力な細菌を出現させたりしているというようなことです。

元々日本には感染病の研究者が少なく、とくに院内感染が起こった時どうするかといった感染防御に詳しい専門家がきわめて少ないのです。ダイヤモンド・プリンセス号のような船という密閉空間の中で感染症が起こった時、どう対処すべきかといったことを研究している専門家はさらに少ないと思います。例えばアメリカですとCDC（疾病予防管理センター）のホームページを見れば対処法がわかるけれど、日本の国立感染症研究所はCDCのような機能を果たしていないようです。

しかし少数とは言え感染防御の専門家は日本にもいるのですから、2014年に『「感染症パニック」を防げ』（光文社新書）を出して警告していた岩田さんのような人を早い時期に船内に入れて指示を仰げば、あれほど感染者がふえることはなかったと思えます。

学校の一斉休業の判断の根拠は

ダイヤモンド・プリンセス号以後についても国の示した対処法には問題が多々あったとわたしは考えています。

手もとに『ニューイングランドジャーナル』という世界的な医学雑誌の3月26日号がありますが、そのなかに新型コロナウイルスについての論文がのっています。論文では「不顕性感染の人がウイルスをばらまいていることがわかったら、学校の休業や集会を控えることも考慮しなければならない」と書かれていますが、学校を休業することについては次のように追記されています。

「学校の休業が子どもたちの福利（ウェルビーイン

グ）や教育に与える影響、共働きの両親が子どもの世話をしなければならないことが生産性に与える影響などを考慮した上で、休業すべきかどうかを判断しなければならないし、子どもたちがウイルスを拡散させる主要な源《みなもと》であるかどうかも確かめなくてはいけない」

日本では感染防御の専門家の判断ではなく、安倍首相の判断で学校の一斉休業が決められたとも聞いており、医学的判断よりも政治的な判断が優先したのかなという思いもあります。

なぜPCRによる疫学調査が行われなかったのか

さらにもう一つの問題点として、日本ではPCR検査が行われた件数が非常に少なかったということがあります。PCRは新型コロナウイルスに感染しているかどうかを判定する検査ですが、新型コロナウイルスは不顕性感染が多いことは早くからわかっていました。不顕性感染というのは「感染しても発病もせず症状も出ない」という状態のことで、不顕性感染している人は本人も気がつきませんし、周りの人が見てもわかりません。不顕性感染者がウイルスをまき散らすため、このウイルスは拡大を止めるのがむずかしいこともわかっていました。

そうすると不顕性感染者を見つけることが大事なのですが、完璧に行おうとすれば既に発病している人以外のこの国に住む全員のPCRを行わなければいけないことになりますからそれは不可能です。しかし、例えば感染者がかなり多くなっている地域で、感染者との接触もなく症状もない人千人くらいを対象にPCRをしてみると不顕性感染者が人口の何％くらいいるのかがわかります。またこの不顕性感染者を追跡することで不顕性感染者の何％が発病するかがわかります。こうした疫学的な調査を行うことで、感染拡大を防ぐことができたり、市民の不安感をやわらげたりすることができるでしょう。

日本では、福島原発事故でもそうでしたし、水俣病などの公害事件でもそうでしたが、国は疫学調査を行いません。それは被害隠しのためとしか思えません。今回のコロナ騒動では、騒動が始まった初期は、「オリンピックをどうしても予定通り2020年に行いたい」と考える国が「放射能もコロナもアンダーコントロール」と諸外国にアピールするために、あえて不顕性感染者を見つける努力を控えたのではないかと疑ってしまいます。このことも新型コロナウイルス拡大（4月3日現在）につながっただろうとわたしは考えています。

免疫力を保つのが第一

さて、それでは新型コロナウイルスに対してどう対応したらいいか、わたしの考えをおはなししておきましょう。

新型ウイルスに対しては一般に治療法がありませんが、新型コロナウイルスも今のところ治療法がありません。感染しないようにする方法も手洗いくらいしかないのですが、わたしたちのからだには免疫力が備わっています。免疫力を確実に強化させる食品とかサプリとかはなさそうですが、免疫力を低下させない方法はあります。それはからだを動かすことや楽天的に考えることなどです。高齢者が1週間くらい入院すると心身が急に衰えることがよくありますが、それは免疫力の低下にもつながっています。感染を恐れて家の中でじっとしていることはウイルスと闘う力を低下させると思います。

これは子どもについても当てはまります。

学校が休みになり外出もなるべくしないようにと言われた子どもたちの中には、スマホに熱中し昼夜逆転してしまったといったことが起こっています。警察関係の方からは閉じこもり生活がいつまで続くかわからない状況の中で家庭内暴力の事例がふえていると聞きました。新型コロナウイルスはいわゆる空気感染なので、戸外で家族みんなでからだを動かしても感染する心配はありません。ストレスも免疫力を低下させるようですから、室内で暗いニュースばかり聞いているのも不安を呼びストレスになるばかりで良いことではありません。この状況でもなにか楽しめることを作って前向きに生きることをおすすめします。

（2020年4月3日記）

やまだ・まこと　八王子中央診療所理事長。雑誌『ちいさい・おおきい・よわい・つよい』（ジャパンマシニスト社）の協力人のひとり。著書『はじめてであう小児科の本』（福音館書店）ほか。

【参考文献】
「コロナパニック　私が告発をやめない理由──岩田健太郎医師インタビュー」『週刊文春WOMAN』2020年春号

II

日本の対応について考えてみる

日本社会の失敗の構造

「未来の失敗への想像力」が欠落している

神戸女学院大学名誉教授／哲学　内田 樹

コロナ禍は同一問題に同時に取り組む希有の例

すでにあちこちで書いてきたことだが、コロナウイルス禍は「センター入試」のようなものだと思う。世界中の国が、同一の問題を前にして、同時に解答を始める。正解は誰も知らない。できることは「過去の失敗例」と「過去の成功例」を精査し、同じ失敗を繰り返さない、成功した事例を模倣する、それだけである。同時に解答を始めた受験生たちの中で、「これで解けた！」と教えてくれるところがあれば、それを真似すればよい。危機管理と言っても、原理はそれほど複雑ではない。

国難的事態というのは国ごとに違う。日本が経験している困難さとまったく同じ困難さに遭遇している国はふつうは存在しない。日本は北方領土問題や沖縄の米軍基地問題で苦しんでいるが、これらの難題について、「日本政府は最善を尽くしており、現状は望み得る最高の達成である」と政府が主張した場合でも、合理的な論拠に基づいてこれに反論することは難しい（というか、できない）。日本とまったく同じ領土問題を抱えていて、それを別の仕方で解決した事例が他に存在しないからである。

中国は胡錦濤時代にロシアとの領土問題にけりを付けたし、フィリピンは憲法を改定して駐留米軍を追い出したが、中国にとってのロシアと、フィリピンにとってのアメリカは、日本にとってのそれらとは「違う国」である。「中国／フィリピンに出来たことがなぜ日本にできないのだ」と言って日本政府の外交能力の低さを論うことはできない（したいが）。

だが、コロナ禍は違う。ここでは「……に出来たことがなぜ日本にはできないのだ」という文型で日本政府のパフォーマンスを査定することができる。というのも、コロナ禍はすべての国が「よーい、どん」で課された同じ問題だからである。今回は、その取り組みを通じて、それぞれの国の「正味の国力」がはっきりと可視化された。そして、日本がこういう危機に際して、どの程度危機対応能力があるのか（というより「ないのか」）が世界に開示された。これについては「国情が違うのだから、他の国と比較されても困る」というエクスキューズは通らない。医療資源に乏しい最貧国であるとか、内戦中で統治機構が機能していないとかいうならともかく、GDP世界第三位の経済大国であり、戦争も内戦もなく、テロにも怯えることなく穏やかに統治されている先進国で、十分な感染症対策を行うだけの原資も時間もありながら、感染症対策においてここまで列国に後れを取ったことについて、政府には説明責任がある。

日本政府は一貫して「状況を完全にハンドルしており、最適な対応を取っている」と言い張り続けるだろうし、御用メディアや御用学者は「日本の大成功」を言祝ぐかも知れないが、海外から「日本に学べ」という声が出てこない限り、「日本は失敗した」ということである。

この原稿を書いているのは4月のはじめであるけれども、この本が出る頃までに日本が奇跡的な逆転劇を演じてみせて、日本が感染症対策の先進国として高い評価を得ている可能性は限りなくゼロに近い。

「未来の失敗を想像する」習慣の欠落

もちろん、この本が出た時点でも、政府は「できる限りのことはやったのです」と言い張るだろうし、政権支持者は「がんばったんだからいいじゃないか。責任を問うとか、そういう固いことは言うなよ」と言って問題を看過しようとするだろう。日本社会には、結果がどれほど悲惨でも、「でも、精一杯がんばったんです」と言えば責任を取らずに済むという独特の「甘え」の文化がある。

失敗に対する寛容というのは決して悪いことではない。けれども、この「主観的に努力したつもりでいれば、客観的に悲惨な事態になっても、責任を問うべきではない」という民族誌的奇習のせいで、繰り返し日本の社会的基盤は傷つけられ、ついに今日のような国運の衰微を見るに至ったという歴史的事実の前にはもう少し粛然とするべきではないのか。

日本社会に決定的に欠けているのは「失敗から学ぶ」という知的習慣である。ここで言う「失敗」には、「過去において実際に犯した失敗」と「未来において犯すかも知れない失敗」の二つが含まれる。「記憶された失敗」と「想像された失敗」と言い換えてもいい。そして、日本人がとりわけ苦手なのは後の「失敗を想像的に先取りすること」である。

過去の失敗については、いくら忘れたがっても、とにかく記録が残っており、証言する人がおり、それによって人生を台無しにされたという人がいるから、簡単には記憶からは消せない。大日本帝国戦争指導部がどれほど無能な組織であったか知りたければ、伊藤桂一『静かなノモンハン』と高木俊朗『インパール』と山本七平『一下級将校の見た帝国陸軍』と丸山眞男『超国家主義の論理と心理』を読めば足りる。それらの証言を読めば、日本の組織に固有の「失敗のパターン」が何かはよく知れるはずである。

だが、過去の経験から「失敗のパターン」を検出することに比べると、未来の失敗を先取り的に想像することはずいぶんと難しい。これについては史料も証言も存在しないからである。

というのも、未来の失敗はそれを適切に想像したことによって回避されるからである。わかりにくい言い方で済まない。未来の失敗をありありと想像できた人がいたとする。その人は（よほど邪悪な人間でない限り）、その失敗が現実化しないように適切な措置をとるはずである。そして、その失敗が回避され、巨大な災厄が現実のものにならなかった場合、その人の功績は誰も知らない。だって、災厄は起きなかったのだから。

「アンサング・ヒーロー」の不在

つまり、こういうことである。未来の失敗を適切に予測できた人は、その功績を外形的に示すことができない。起きなかったことについては、史料も証言も存在しないからだ。そうやって世の中に「よきもの」をもたらしながら、誰にも知られずに終わる人のことを「アンサング・ヒーロー（unsung hero）」すなわち、「その功績を歌われることのない英雄」と呼ぶ。

「アンサング・ヒーロー」という言葉は英語には存在するが、日本語には同義語がない。日本には目に見えない功績を評価するという文化がないのかも知れない。昔はあったが、ある時期からなくなったのかも知れない。私にはわからない。とにかく、今の日本にはない。

アンサング・ヒーローは、たまたまシステムの瑕疵に気づいたときに、「こんなことが続けば、そのうちたいへんなことが起きるかも知れない」というふうに想像力を働かせる。与えられた条件から「それがもたらすかも知れない最悪の事態」を想像するのである。

ある人が堤防のかたわらを歩いていたときに小さな穴から水が漏れているのが見えた。「天下の難事は必ず易きより」、小さな穴からでも堤防が決壊するかも知れない。そう思って、小石を拾って穴を埋めて、そのまま立ち去った。その人のおかげで堤防は決壊せずに済んだ。何も起こらなかった。だから、誰もこの人の功績を称えることがないし、本人も自分がどれほどの功徳を積んだのかを知らない。けれども、「こういう人」をそれなりの数含んでいる集団は、そうでない集団よりも危機耐性が強い。

現代の日本社会の危機耐性がしだいに低くなっているのは、「アンサング・ヒーロー」たちの眼に見えない貢献にそっと手を合わせて感謝するという習慣が失われて久しいからであると私は思う。

「最悪の事態」を想定することを抑圧する社会

今の日本では「こんなことが続けば、そのうちたいへんなことが起きるかも知れない」と思った人間は「こんなこと」を隠蔽する。うっかり暴露すると、ひどい目に遭うからである。「こんなこと」は前任者の責任かも知れないし、もっと前から続いていた慣行かも知れない。いずれにせよ、それを暴露した人間はこれまで隠されていたことを事件化したことの責任を取らされる。それよりは異動するか退職するまで蓋をしておいて、在職中は事件化しないように配慮する方が個人的には利益が多い。だったら、見ないふりをする方が賢い。そういう考え方をする人間がいつの間にか日本ではマジョリティになった。

バブル末期の銀行経営者たちがそうだった。「こんなこと」を続けていれば銀行に大きな損害がもたらされると分かっていながら、自分の在職中に事件化しなければ、逃げ切れると思って、不良債権と知りつつ追い貸しを続けた銀行マンがたくさんいた。福島の原発でもそうだ。現場の技術者たちの中には「こんなことを続けていたら、そのうちたいへんなことになるかも知れない」という不安を抱えていた人がきっといたと思う。けれども、それを指摘しても誰も喜ばないことが分かっていたから黙っていた。そして、「たいへんなこと」が起きた。

日本では「最悪の事態」を想定することについての強い抑圧が働いている。現在のプランAが破綻した場合のプランB、それが破綻した場合のプランC……というふうに「フェイルセーフ」を二重三重に仕掛けるという発想を日本人はしない。逆に「プランAがうまくゆくと、こんなにいいことがある」という想像的に先取りされた成功に浮かれることにはずいぶん熱心である。「もしプランAが失敗したら」という仮定を語ると露骨に嫌な顔をされる。「縁起でもないことを言うな」と退けられるのはまだましな方で、「お前のような敗北主義者が敗北を呼び込むのだ。プランAが失敗したら、それは『プランAが失敗したら』というようなことを想像したお前の責任だ」というようなことを言う人間さえ存在する。

今回の感染症対策の失敗ではこうした「日本社会の欠点」がくっきりと可視化された。せっかくの機会である。この欠点を徹底的に精査し、改められるものはただちに改めた方がいい。それが感染して亡くなった方たちへのせめてもの供養である。

（2020年4月6日記）

うちだ・たつる　専門はフランス現代思想。著書『日本辺境論』（新潮新書）、『街場の戦争論』（ミシマ社）、『ローカリズム宣言』（デコ）ほか多数。

「パンデミック」はこれから始まる地獄の序章である

大恐慌と世界食糧危機に備えよ

京都大学大学院工学研究科教授／社会工学　藤井　聡

社会経済活動の制限は当面「年単位」で解除できない

令和2年4月7日、安倍政権は、新型コロナウイルスによるパンデミック対応のために「緊急事態宣言」を発令した。

東京、大阪などの7つの都府県において、「医療崩壊」を回避することを主たる目的として、医療機材や施設を国家権力を集中投入して確保すると共に、それぞれの自治体における社会経済活動に制約を加えて、感染速度を低下させ、感染者、とりわけ重症者の急速な拡大の抑止を企図してのものだ。

その期間としては、取り急ぎ、おおよそ1ヵ月間を想定してのものだった。

本稿はまさにその4月7日現在に執筆しているのだが、今日時点での世間一般の受け止めは、この1ヵ月の緊急事態期間をしのぎきれば事態は収束し、かつてと同様の社会経済活動に近づいていけるのではないかという、漠然とした楽観的なものだ。

無論、本稿をお読みの読者各位は、本稿を読まれるそれぞれの時点で、その後どのように感染が展開していったのかを認識しながら、本稿に目を通していると ころだと思われるが、少なくとも緊急事態宣言が発令された本日時点の空気はそうなのである。

しかし、筆者は決してそうした楽観は持てない。

なぜなら、万一、この1ヵ月間の「緊急事態宣言」を通して感染者数がピークアウトして収束に向かったとしても、そのピークアウトは「社会活動の制限」を通してもたらされたものだからだ。だからピークアウトしたからといって自粛の水準を軽々に「緩和」してしまえば、大なる可能性で再び感染者数は増加していく。

だから、一旦緊急事態宣言を出してしまえば、軽々に解除できなくなってしまうのである。

そして仮に、当該の都市において「完全終息」を見たとしても、社会経済活動を完全復活することはできない。なぜなら、他地域にはまだ感染者がいる以上、他都市との交流の抜本的な禁止がなければ、他地域感染者が当該都市に訪れ、再び感染が拡大していくことは避けがたいからだ。

さらに言うと、仮に日本中から感染を駆逐することに成功したとしても、海外との人的物的交流を続けている限り、海外から再び、新型コロナウイルスが侵入することは避けがたい。そもそも、1月に中国からウイルスがやってくるまでは、我が国に当該ウイルスは一切存在していなかったのに、海外からの訪日外国人たちによって、日本にウイルスが広がっていくことになったのだから、世界中からウイルスが完全駆逐されない限り、あるいは、海外との人的交流を完全停止でもしない限り、日本で再び感染者が拡大していくことは避けられないのである。

そもそも、昨年末の時点で、このウイルスの感染者は中国の武漢だけだったのだ。それが、グローバルな人の流れに乗っかる形で、たった数ヵ月で（この4月上旬の時点で）１００万人以上の感染者と10万人近い感染死者数が出る状況になったのだ。完全駆逐に失敗した国がどこかに一つあるだけで、グローバル化を続ける限りにおいて、同じように世界中に感染が（早晩）広がることはもはや避けられないのである。

もちろん、ワクチンや治療薬が開発されれば、状況は劇的に変化する。そうなれば、グローバリズムも、それぞれの国の社会経済活動を再開しても、そうしたワクチン、治療薬を準備できる国家においては、ウイルスの蔓延は回避できる。

しかし逆に言うなら、そうした特効薬が開発されるまでの間は、昨年まで当たり前だと思っていた社会経済活動を再開することは「不可能」なのだと考えざるを得ないのである。

そして、そんな特効薬がいつできるのかは、分からない。意外と早く、来年にはもう完成しているかも知れないしそうでないかも知れない。最悪のケースでは、（アビガンのような）ある程度の治療薬はあっても、「完璧な特効薬」は当面の間開発されないかも知れない。

ただし、はっきりと言えることは、「完璧な特効薬」は後1ヵ月や2ヵ月では完成しないということだ。だから、少なくとも年内は、昨年までの当たり前の社会経済活動は再開できず、あらゆるビジネスも娯楽も、大なり小なりの制約を加えた格好でしか、再開できないのである。

官邸も自治体も軽々に自粛を要請する方針を次々に決定していっているが、彼らは、このコロナとの戦いが長期戦になることをほとんど理解していないようだ。数週間たてば、あるいは、夏になればもう普通になっているだろうと漠然と考え、そういう楽観論に基づいて「まぁ、数週間の話だから、ちょっと厳しめに自粛要請しときゃそれで良いだろう」くらいに考えている。

彼らは新型コロナに慌てふためいて、途轍もない経済破壊行為を自傷的に始めてしまったことを理解していないわけだ。

まことにもって、愚か極まりない話だ。

日本経済はこれから地獄のような大不況となる

さて、こうしてコロナに恐れをなした政治家達が、経済活動を抑止しはじめたのだが、これによって大不況、大恐慌は確定的となった。

とりわけ、まことに残念なことに、諸外国に比して日本の方が、コロナ対策による経済被害が甚大なものとなることは確実だ。なぜなら、諸外国はGDPの10％や20％程度の「政府支出の拡大」を決定し、失業者や所得が減った労働者、売り上げを失った法人・商店に対して、所得や売り上げを徹底的に「補償」していく方針を明確に打ち出している一方で、日本はそうした方針をまったく打ち出していないからだ。日本でも対策規模で言えば100兆円以上という威勢の良い数字が政府から打ち出されているが、中身を精査すると、新規の国債発行に基づく支出拡大は、たった16兆円、GDP比にしてたった3％という、諸外国に比べれば比べものにならないくらい僅少な水準なのである。これでは、政府が繰り出した緊急事態宣言でパニック状態におちいった日本国中の法人や商店の多くが、倒産していかざるを得ないだろう。倒産せずとも、従業員を徹底的に解雇していくだろう。解雇せずとも給料を大幅に減額することとなろう。

こうして、政府による、所得・売り上げ補償無きコロナ対策の「帰結」として、日本国民は、確実に貧困化していくのだ。

そうなれば失業者が増え、自殺者数は数千から数万単位で拡大していくこととなろう。すなわち、日本人はウイルスによって命を失うのみならず、政府による不適切なコロナ対策によって導かれた大不況によって命が失われていくのである。そして、その経済的理由による死者数は、感染症死者数をはるかにうわまわる疑義がきわめて濃厚なのである。

しかも、これから世界中の国々の経済も、激しく傷ついていく。もちろん、その被害の程度は、十分な政府補償のため、日本よりはマシな状況であろうが、どれだけ政府補償を行うとも、産業活動そのものを諸外国は停止させているわけだから、無傷では終わらない。そうなれば、日本の輸出産業が大打撃を受けることも必至だ。

つまり、1929年の世界大恐慌の再来が、この新型コロナウイルスによってもたらされるのである。

この「第二次世界大恐慌」は、百年前のそれよりも酷いものとなることは間違いない。

なぜなら前回の恐慌は、経済的理由だけが原因だったのが、今回の恐慌は、それに加えて、目に見えぬ敵である「新型コロナウイルス」もまた、経済活動の自粛／抑制の重大な原因となっているからだ。

この最悪の経済危機の被害を軽減するには、欧米諸国のように100兆円規模で国債を新しく発行し、徹底的な補償を国民に提供していく他ないのだが、我が国政府は、そうした気配を一向に見せていないのは先に指摘した通りだ。したがって、我が国国民は、「政府による自粛要請」による激しい内需の縮小と、「世界大恐慌」による激しい外需の縮小の双方のダブルパンチを、ノーガードのまま被ることになるのだ。

今のままの政治が続く限り、日本国民の未来は地獄のような大不況以外にはもはや、考えられない状況に至っているのである。

世界食糧危機に備えよ

ことがここまで及べば、次に必ず起こるであろうものが「世界食糧危機」だ。

そもそも、世界各国は、経済産業活動を「停止」することで感染を押さえ込もうとしている。したがって、食料もまた、生産量が大きく縮小することは避けられないのだ。

もちろん、それぞれの国は、それぞれの国の国民が生きていくために必要な最低限の食料の生産はなんとか確保するだろう。しかし、外国に輸出するためのものは、そうそうに「生産カット」されていくことは必至だ。そもそも、必要最低限の食料生産さえ確保することが危ぶまれるかも知れないのだから、金儲けのための外国への食料輸出が縮小していくことは必至だ。

こうした最悪の危機があり得るということは、かねてから十分に想像できたはずだ。しかしつい数ヵ月前まで、世間は「グローバリズム」は世界の必然で、もう逆戻りはない、国境は年々意味が無くなって、あらゆるモノは、それを最も効率的につくれるどこかの国でつくり、後は貿易するのが一番効率的だ、という風潮が日本を席巻していた。だから日本は、お家芸のクルマを中心とした第二次産業だけやってればそれでいい、農業等は二の次三の次でいい、というのが日本政府を中心としたインテリ層の平均的な共通認識だった。農業関係者のみならず、常識ある大人は皆、そういう思い込みが単なる軽薄な愚論に過ぎぬことを知悉していたのだが、そういう声は世論、とりわけ政府において趨勢を占めることはなかった。

しかし、武漢という特定の場所で「生産」されたウイルスが、グローバリズムのネットワークに乗って一気に世界中に拡散されはじめて以降、状況は一変した。グローバリズムは、商品やサービスだけでなくウイルスもまた世界中に拡散させる力を持っていたのだ。結果、世界中が大混乱、恐れをなした各国政府は国境を封鎖、ほんの数週間前までグローバリズムは必然で後戻りはできない、国境なんて意味がない、なぞと嘯いていたインテリ達、為政者達は皆、自己防衛のため血眼になってその国境を活用しはじめたのだ。

こうなれば、カロリーベースで言えば4割程度しか自給できていない我が国日本は、深刻な食糧危機に直面することになる。

ついては今からでも遅くない。近い将来必ず訪れる食糧危機に対応するために、農業の生産力を増強する対策を速やかにはじめねばならない。同時に、日本で輸出に頼っていた食材ではなく、日本で供給力が一定確保されている米に対する、国民の依存度を高めていく必要がある。

そもそも、幸か不幸か特効薬が開発されるまで、それなりの時間がかかることが危惧されている。だとすれば、その時間をつかって、自給率を高めるための供給対策と需要対策を徹底的に進めていかねばならないのだ。さもなければ日本国民は、ウイルスや経済不況で命を失う以前に、食糧危機によって命を失ってしまいかねない状況にあるのである。

いずれにしても、今回の新型コロナウイルスによるパンデミックは、日本が如何に脆弱な国家であるのかを白日の下に晒す結果となった。望むらくは我が国は、この危機を契機として、食糧自給率の確保を重視し、内需や農業を大切にする「強靭な国」へと、変貌しなければならないのだ。（２０２０年４月７日記）

ふじい・さとし　「表現者クライテリオン」編集長。著書『プライマリー・バランス亡国論』（扶桑社）ほか多数。

弱者からの悲痛な声に耳を傾けよ

作家・活動家　雨宮処凛

このブックレットが出る頃、この国はどのような状態になっているのだろう？

現在、４月前半。新型コロナウイルス感染者は全国で３６５４人となり死者は73人。３月25日、小池都知事が会見で「ロックダウン」という言葉を使ったことから一時的にスーパーが品薄となり、30日、志村けん氏の訃報が伝えられた。そうして現在、仕事は自宅で、夜間の外出は控えてなど自粛要請は出ているものの、平日は多くの人が電車で仕事に通っている。都内ではホームレス支援団体が炊き出しを中止するなか、数少ない炊き出しには、見かけない顔がやってくるようにもなったという。つまり、新たなホームレスが生まれているのだ。

夜間外出自粛の上、名指しされたライヴハウスや夜の街からは悲鳴が上がっているものの、コロナによって収入減となったことを証明できる書類があり、一定以下の収入しかない世帯にのみ、30万円が支給されるらしい（編集部注）。「自粛と給付はセットだろ」。Twitterではそんなハッシュタグができているものの、政府は４月１日、マスク２枚を全世帯に配ることを発表した。エイプリルフールの冗談かと思ったら本気だった。

そんななか、どんな声が上がっているのか見ていこう。

ホットラインに寄せられる相談

たとえば「全国ユニオン」が3月7日、８日に開催したホットラインには、以下のような相談が寄せられている。
「スーパーで試食販売で派遣されていたが、2月中旬から仕事がなくなった」（派遣　女性流通）
「スポーツジムでエクササイズやトレーニングの指導をしている。今は待機中。今後が心配」（個人事業主　男性）
「新型コロナの影響でツアーが相次いで中止。仕事がなくなり、生活ができない」（派遣　添乗）
「予定していた仕事がすべてなくなった」（男性　イベント）
「3月2日から休みになった。補償がどうなるか説明がない」（パート　女性　テーマパーク）
「週6日・1日5時間、20年以上勤務しているが、仕事がなくなった」（パート　女性　ホテル配膳）
「3月から就職する予定だった会社での主な仕事先が韓国と中国だったことから、仕事に行けなくなり、内定を取り消された」（求職者　男性）
「新型コロナの影響で学校給食が中止になった。補償はあるのか」（公務非正規　女性　学校給食）
「幼稚園の送迎バスの運転手。新型コロナの影響で3月から自宅待機になった。補償があるのか不安」（派遣　男性　運転手）
「スポット派遣で週5日働いていたが、時期とコロナの影響で週1回しか働けない」（日雇い派遣　男性）
「ある競技の警備をすることになっていたが、無観客になったので仕事もなくなった。賃金はどうしたらいいか」（経営者　男性　警備）
ホテル、観光、飲食など、業種はあまりにも多岐にわたる。

正規・非正規の差もあらわに

一方で、休業に伴う補償が、正規と非正規で差があるという相談も寄せられた。
「正社員は特別休暇で有給で休みにするが、パートはないといわれた」（パート　女性　社会福祉施設）
「新型コロナの影響で仕事がなくなった。正社員は有給だが、パートは無給と言われた」（パート　女性　旅行会社）
また、在宅ワークが推奨されているが、非正規ではそれができない実態も明らかになっている。
「派遣先の正社員はコロナの影響でテレワーク。派遣は認められない」（派遣　女性）

「派遣先はリモートワークになった。自宅でもできるのでリモートワークにしたいと言ったが、派遣はダメだと言われた」（派遣　女性　翻訳）

失業と同時に住む場所を失う不安を抱える人もいる。

「離婚して昨年11月から働いている。やっと慣れてきたが、雇い止めを通告され、寮も出るように言われ困っている」（派遣　女性　ホテル）

離婚して寮生活になったということは、この女性に帰る場所はないのではないか。実家や友人宅に頼れればいいが、問題なのは、彼女のような人は現在、おそらく全国に膨大に存在するということだ。そのなかには、どこにも誰にも頼れない人が確実にいる。

生活が逼迫するなか、給付はちっとも具体化せず

逼迫の様子は、3月20、21日に開催された全国一般東京東部労組の「新型コロナウイルス関連　雇用不安集中労働相談」の報告からも垣間見える。

「仕事が激減しました。最初、労働時間を2時間減らされ、出勤日も週4日に減らされました。次いで休業命令が出されましたが、パートには休業補償は1日1000円のみです。1日1000円では生きていけません」

「『仕事がないから休んで』と言われてもう1ヵ月半もすぎた。このままでは生活ができない。公共料金すら払えない。電気もガスも止められてしまう」

これらの電話相談はいずれも3月。3月の時点でこれほど大変な状況なのに、4月に入るまで給付の話はまったく具体化せず、出てきたのは「お肉券」「お魚券」といった素っ頓狂なものばかり。庶民は今まさに、明日の家賃の支払いやローン、光熱費、携帯代の支払い、学費の支払いや今日の食費に困っているというのに、その声は届かない。

住まいを確保する各国の政策に学ぶ

一方、海外では大胆な休業補償や現金給付の対策がとられている。

例えばイギリスでは、約32万円を上限として平均所得の8割を政府が直接給付。自営業者、フリーランスも対象だ。

カナダでは、仕事や収入を失った人に毎月2000カナダドル（約15万円）を最大4ヵ月にわたって支給

することを決定。

ドイツでは、フリーランスを含む小規模事業者に最大約180万円の一時金が出ることになった。

韓国では、高所得世帯を除く7割の世帯に、一世帯あたり9万円が支給されることが決まった。

また、アメリカでは年収約825万円以下の大人一人に約13万円が給付されるという。

そんな各国の対策のなかで今すぐ真似してほしいのが、ドイツの「立ち退き禁止」。4月から9月まで、コロナ経済危機によって家賃を滞納しても、大家さんは退去させてはいけないという決まりができたのだ。

このような状況を受け、「住まいの貧困に取り組むネットワーク」は「すべての家主、不動産業者、家賃保証会社への緊急アピール」を発表した。家賃滞納者への立ち退き要求を止め、共に公的支援を求めようという内容だ。

一方、ロンドン市長は新型コロナウイルス対策のため、ホテル300室を路上生活者に開放。4月3日、ホームレス支援団体が連盟で都知事に「新型コロナウイルス感染拡大に伴う路上ホームレス化の可能性が高い生活困窮者への支援強化についての緊急要望書」を提出した。都内では1日あたり4000人の「ネットカフェ難民」がいるわけだが、もし店が営業停止したり、感染者が出て閉鎖されれば行き場がなくなる。そんなホームレス状態の者が公的支援を受ける際は相部屋の施設に入れられることが多いが、狭い空間に体力の落ちた人が大勢いるような場は感染リスクがあまりにも高い。このような事情から、ホテルの空き部屋や民間施設、公共施設の利用によって一時的に住む場所が確保できるよう要望したのだ。

とりあえず生活保護で生き抜け

新型コロナウイルス感染拡大以前から、庶民の生活は苦しかった。

たとえば18年の国民生活基礎調査によると、「生活が苦しい」世帯は57・7%。子どもがいる世帯では62・1%。また、預貯金などの金融資産を保有していない2人以上の世帯は17年時点で31・2%（家計の金融行動に関する世論調査平成29年）。そこに新型コロナウイルスによる経済危機だ。このままではリーマンショックどころではない大量のホームレス化が起きるだろう。自殺者だって出かねない。

だからこそ、使える制度は使い倒してほしい。住居確保給付金や社会福祉協議会の貸付金など制度はいろいろあるが、とにかく使い勝手が悪い。貧困問題に14年関わってきた私の実感として、こんな時に使い勝手がもっともいいのは生活保護である。ざっくりいうと、今6万円以下（国が定める単身の最低生活費の半分以下）しか所持金がなくて、収入のあてがなく、資産がなければ受けられる。働いていても収入が単身で13万円以下であればそれに足りない分をもらえる。アーティストでも、自営業者でももらえる。年金をもらっていても最低生活費に足りない分が支給される。

持ち家や車があると受けられないと言われるかもしれないが、家の資産価値が高くなかったり、車が通院や仕事に必要と認められれば受けられるので、一律ダメというわけでは決してない。

とにかく諦めず、この機会に生存のノウハウを存分にゲットして、生き抜いていこう。

（2020年4月6日記）

あまみや・かりん　反貧困ネットワーク世話人。著書『ロスジェネのすべて――格差、貧困、「戦争論」』（編著、あけび書房）ほか多数。

（編集部注）本稿脱稿後の4月16日になって、安倍首相は閣議決定を撤回し、全世帯に一律10万円を給付すると表明した。

不要不急とは何か

医療人類学者　磯野真穂

4月7日、本ブックレットの責任編集をされている阿部道彦さんより、突然の寄稿依頼のメールをいただいた。その2日前の4月5日、BuzzFeed Newsに掲載されたインタビュー記事がきっかけである。記事のタイトルは、「問われているのは『命と経済』ではなく、『命と命』の問題――医療人類学者が疑問を投げかける新型コロナ対策」（記者：岩永直子氏）であり、私が今の社会状況に抱く違和感をまとめたものである。

阿部さんにとくに強く響いたのは以下の箇所であった。

コロナにかかって亡くなりやすい人たちと、その人たちを守るためにこれまでの生活を諦めている人たちの命の両方が危うい状況になっている。その双方が「弱者」です。「不要不急」という言葉があります。私たちは「不要不急」の外出を避けろと言われていますが、「不要不急」と言われたその先に、仕事をしている人たちがいて、その仕事をしている人たちにとって、その場所は「不要不急」どころか、「必要火急」です。（注）

私と面識がないだけでなく、入稿までほとんど時間がなかったが、それを踏まえた上でのご依頼は私にも響いた。

したがって本拙稿においては、この言葉を手掛かりとしつつ、さらに考察を深めてみたい。

みんなで団結してこの危機を乗り越えましょう

緊急事態宣言が出た後の新宿を夕方歩いてみた。別に誰かと話したわけでもなく、接触をしたわけでもない。でも今の社会では、こんな散歩すらも咎められるのだろうと考えながら。

驚くほど人のいない新宿の「繁華」街を歩き、歌舞伎町の入り口に差し掛かると、都の職員とみられるスーツ姿の人々が看板を持ち、スピーカーを持ちながら「みんなで一致団結してこの難局を乗り越えましょう」「不要不急の外出を控えましょう」と繰り返し呼びかけている。

率直に言って異様であった。戦争ってこうやって始まったのではないかと思わせるくらいに。歌舞伎町で生きる人たちにとっての不要不急は、政府や医療の専門家、メディアが声を大にして訴える「不要不急」とはまったく違うところにあるだろう。ウイルスに感染するかどうかより、今日生きる日銭を稼ぐことの方がよっぽど大切な人、この街で初めて人の温かさに会った人だっているかもしれない。でもこの「緊急事態下」において、それまで存在した生のありように目が向けられることはない。医療の専門家、政府、ジャーナリズム、そういった声のある人たちが掲げる「生きる目的」に、そのような人々から最も遠く離れて暮らしていた人たちの目的が吸収されていく。

つい最近まで散々言われていた「多様な社会」ってなんだろう。このどこに多様を見ればよいのだろう。

身体がデジタルに負けた日

コロナに対する恐怖を私たちはどう身につけただろう？　全国の感染者数は5902人（2020年4月11日現在）。対して日本の今の人口は1億2595万人。つまりコロナにかかっている人は全人口の0・0039％である。ここから言えることは、私たちのほとんどはコロナにかかっていないし、周りにそれに罹患した人もいない、加えて医療現場が逼迫してにっちもさっちもいかなくなっている状況を、目の前で見た人もほとんどいないということである。

自分で体験したわけではないにもかかわらず、なぜ私たちはこのウイルスの前に身を縮め、不要不急のあれこれを控えているのだろうか。

いうまでもなくそれは、日々私たちがテレビや新聞、SNSなどのメディアに流れる数字、統計予測、映像を通じてその情報を得ているからである。デジタルを媒介した視覚情報が私たちに恐怖を擦り込んでいる。

翻って、大丈夫だろうという身体感覚に従って動き回る行為はもはや非道徳である。私たちはそんな原始的な感覚に頼ることなく、専門家の言葉と疫学者の導く予測によって日々の行動を決めるべきなのだ。

身体のあれこれが数値化され、そして統計によって未来の予測が立てられ、それに従うよう求められる。この兆候は20世紀後半からあった。そしてとうとうその眼差しが世界を席巻した。統計と映像が、健康を掲げて身体を駆逐したのである。感染拡大予防の名のもとに個人情報が収集され、安全な道順がスマホで逐一提示される日も近いかもしれない。

薄っぺらいモラルの中で

この感染症が流行り出したとき、私は同じくウイルス性感染症である豚コレラや鳥インフルエンザの感染予防のために殺されてきた豚や鶏たちのことを考えた。人間の命がかれらの命よりはるかに尊い位置づけをされていることに改めて驚愕したのである。

豚や鶏たちは、食肉として殺されることを運命づけられ育てられる。でも感染症がはやれば、本当に感染しているかは関係なく殺される。生きる目的を一方的に決められ生を受け、その目的を果たせなくなったら今度はあっさり殺されるのである。

でも、豚や鶏たちを育てている人たち、殺処分を実施した人たちを除けば、誰もそんな事実に目を向けることはない。◯万頭の豚が殺処分になりました、とニュースに流れれば、「あ、そうなのか。かわいそうに」と幾ばくかの哀れみの目を向け、そこから目を逸らす。いや、向けたくないのだろう。自分たちの残酷さをないことにするために。

でももし同じことを人間に対してやったら、大変なことになるだろう。ナチスの再来、優勢主義、とあらんかぎりの非難の言葉が投げかけられるはずである。そして叫ぶのだ、どんな命にも価値があると。

私は当然ながら今のコロナウイルスに対して豚と鶏と同じような対応をすればいいと考えているわけではない。でも思うのである。今私たちは何を最も大切にしようとしているのかと。

人命？　本当にそうだろうか。このまま自粛と緩和を繰り返せば、多くの人々の生活が崩壊するだろう。もちろんうまく適応できる人もいるだろうが、そうなれない人も必ず存在する。そのなかには生活に困窮して心身を病む人、そのまま自殺する人もいるはずである。そしてその人たちは、このコロナの自粛がなければ間違いなくそうならずに済んだ人たちなのだ。

そういう人たちの命はとりあえず先送りにし、感染拡大防止だけを目的にすれば人命が守られるのだろうか。

私は思うのである。感染症が発生した地域で鶏や豚が無差別に殺されていく事実に目を背けながら、でも、肉としてのかれらは食べたいと私たちが欲望するように、私たちは何かから目を背けるためにこんな社会を作り出しているのではないのかと。

私たちが目を背けたいこと。それは私たちが科学の力で作り上げた社会が、安心・安全ではなかった事実なのではないだろうか。足りているはずだった機材が足りなくなり、ウイルスの行先は管理ができず、治療薬も見つからない。ついにはそれで死んでしまう人まで出るようになった。

その敗北から私たちは目を背け、ロックダウンさえすればコントロールができるのだと、それに伴う痛みは補償を出せば乗り切れるのだと信じ込むことによって、システムの敗北から必死に目を逸らそうとしているのではなかろうか。

不要不急の先で私たちが守ろうとしているものは、人命第一という薄っぺらなモラルに包まれた科学と人間のインテリジェンスへの狂信に私は見えてしまう。

専門家の曖昧な言葉のなかに潜む、人への信頼を読み取る

新型コロナクラスター対策専門家会議のメンバーである押谷仁氏は次のように語っている。

僕らの大きなチャレンジはいかにして社会経済活動を維持したまま、この流行を収束の方向に向かわせていくかということです。

都市の封鎖、再開、また流行が起きて都市の封鎖ということを繰り返していくと、もう世界中が、経済も社会も破綻します。人の心も確実に破綻します。若者はもう将来に希望を持てなくなる。次々に

若者が憧れていたような企業はつぶれます。倒産していきます。中高年の人たちは安らぐ憩いの場が長期間に渡って失われます。

　その先に何があるのか、その先は闇の中しかないわけです。その状態を作っちゃいけない。

（『NHKスペシャル新型ウイルス瀬戸際の攻防：感染拡大防止・最前線からのお知らせ』4月10日（金）放映）

　押谷氏は番組のなかで、緊急事態宣言の間に感染者の急上昇を抑えられれば、ウイルスへの対策をそれ以前に行っていたクラスターをつぶす対策に戻し、以前に近い形での社会生活が行えるようになる可能性があると述べている。彼はワクチンを待つべきだとは言ってない。

　私たちに今必要なものは、わかりやすく、攻撃的な指示ではない。非常事態時において確かにそのような指示は私たちに安心を与える。しかしその安心は、他者の指示に自分の人生を合わせるという、思考停止によりなされたものだ。対策班の中心人物である押谷氏が、決してそのような言葉で人々を先導しないことが私には希望にみえる。なぜなら彼は私たちに思考停止を求めておらず、ウイルスと付き合いながら、社会を続ける方法を考えることを求めているからである。

　私たちにとって必要火急なのは人工呼吸器でも、集中治療室でもない。ウイルスの恐怖の前に吸い取られつつある、自ら考える力と他者への信頼こそが必要火急である。ありきたりの言葉であるが、このありきたりがこれほどまでにあっさりと失われることを私たちは今、目にしているのではないだろうか。

（２０２０年4月12日記）

いその・まほ　慶應義塾大学大学院健康マネジメント研究科研究員。専門は医療人類学、文化人類学。著書に『なぜふつうに食べられないのか』（春秋社）、『医療者が語る答えなき世界』（ちくま新書）、『急に具合が悪くなる』（共著、晶文社）など。

（注）https://www.buzzfeed.com/jp/naokoiwanaga/covid-19-isono-1

III

日常の食生活と教育からみる

食生活からみる

予測不能なリスク社会に必要なのは「食べるスキル」では？

食生活研究家　魚柄仁之助

人は先行きが不安になると、つい食料を買いあさりたくなる。今回のコロナ禍でも、一斉休校への備えもあって、スーパーマーケットでは米やスパゲティ、インスタントラーメン、缶詰などを買い求める人の列ができた。だが、膨大な資料をもとに、日本人の食べ方を研究、実践してきた魚柄さんはいざというときの備えはモノではない、という。（編集部）

食料や道具の買い置きより、技術のストックを

健康美食はひと月９０００円で出来る！　という『うおつか流　台所リストラ術　ひとりひと月９０００円』を世に出したのが１９９４年でした。それ以降ライフラインが途切れるような災害が起こるたびに「どんな非常食を常備しておけばいいのか」と質問されるのですが、僕が発信してきたのは「何を食べれば（常備しておけば）いいのか」ではなく「どんな食べ方をしておくのか」でした。

特別な非常食は備蓄しておりません。食料の備蓄（ストック）以上に、食べる技術（スキル）を身に付けました。日常の食品や生活用具を非常食や非常時の道具に流用する技術を持っていれば、缶詰やキャンプ用具などを買い置きする必要はないのです。１週間で腐ってしまうような生鮮食品を常温保存可能な非常食に加工したり、空缶で炊飯できる技術があれば、わざ

わざ乾パンなどを買う必要はありませんから。
　あり余る食材を食べきる技術があれば、いざというときもこわいものなし。
　そんな技術を2、3挙げてみましょう。

【新台所リストラ術】
かわいそうな食べものたちのレスキュー

・1月になると越冬南瓜《かぼちゃ》の「介護?」が始まります。同居人の実家（長野）では94歳の母親が年間数十種類の野菜を作っていて、秋には南瓜が50個以上穫れますが、独り暮しですから食べきれない。年を越した南瓜は傷みが出て来て黴《かび》たり腐ったりしてかわいそう。帰省するたびに東京に持ち帰り、南瓜の介護?　をいたします。傷み部分を切除、洗浄し、天日で干す。傷みかかった南瓜って、完熟を通り越して過熟している南瓜だから蒸したり焼くだけでもすごく甘い。余分な南瓜はサッとゆでてからカラカラになるまで天日で干すと、手軽に使えて長期常温保存できる非常食にもなるのです。大根や牛蒡なんぞも、食べきれなさそうなときには輪切りや細切りにして天日で干しますといわゆる「切干し」ができます。乾物を買ってきて保存食にするのではなく、食べきれなさそうな野菜類を干して保存食にするのです。
・2月頃には樽に漬けた野沢菜が乳酸発酵して酸っぱくなる。酸っぱくなったら捨てちゃうヒトもいるそうだが、それじゃ野沢菜に申し訳が立たん。これまた東京に持ってきてまず洗浄し、ザクザク切ったら鍋で空煎りした後、胡麻油、唐辛子、干し海老、切り昆布などと炒め、水分を飛ばして惣菜用にします。これは冷蔵庫で1ヵ月くらい保存できるので、炒め物全般に使い回せます。細かく刻んで炊込み御飯に使ったり、長野名物「おやき」の具やお好み焼きに使います。刻んだものをからりとするまで炒めると、長期保存可能なふりかけにもなるのです。ちなみに古漬け利用法は昭和の料理本にも沢山出ていました。変わったところでは「沢庵のソース漬」とか……。電気冷蔵庫が無かった時代には「非電化保存」の知恵があったんですね。
・魚屋でかわいそうなのが売れ残りそうな魚でしょう。仕入れの見込み違いで、鰯や鯵などが売れ残りそうなときには躊躇なく買っちゃう。一度で食べきれなくても、食べつくす術《すべ》はある。開きにして天日でしっかり干せば一ヵ月以上の保存もできるし、塩漬で長期保存すれば一年後には魚醤（しょっつる・いしる）ができます。魚なら冷凍に……とよく言われますが、冷凍って、災害時に電気が止まったらアウト！　ですから、心配性の僕は常温保存できる干物にするのです。

もし売れ残ったら魚屋といえど廃棄処分せざるを得ないけど、加工できる消費者が買い取れば「持ちつ持たれつ」ってやつでしょ……これはきれいごとで、こちとらはばか安で買えてラッキー♡　魚屋は捨てずに済んでハッピー♡

・広告を見るとムネ肉、ササミ肉がばか安になってる。味が淡泊で人気がないから安くしないとさばけない。惣菜で売ってる空揚げにはコクのあるモモ肉ばかりが使われています。でも、低脂肪高たんぱくのムネ肉で作ったサラダチキンが人気を得ていて結構いい値段で売られておる。ビンボー症の僕は安いムネ肉でサラダチキンを作るのでした。ムネ、ササミ肉に塩をすり込んで2日ばかり干せば、水分が程よく抜け、塩が馴染んで肉にうまみが増してくる。これをラップで包み10分蒸せば自家製サラダチキンができちゃう。そのまま冷ますと、ラップが鶏肉にピッチリと密着します。これ、真空パック程ではないが、抜気されて気密性も高いので常温保存も可能な保存食になるんです。（＊KOKOCARA参照）

僕のやってる食品ロス「減」ってこのようなことですの。

安全だから美味しい？　のトリック

鮮度の良くない食材でも技術があれば美味しく食べられるし、保存食、非常食にもなるのです。無農薬で有機栽培だから、安全で安心できる良い食品なのだ、は正しいと思いますが、無農薬で有機栽培だから美味しい、とは言えない。安全は科学で判断し、美味しいは個人の嗜好で判断します。美味しく食べつくせる技術がなければ、安全だけどまずい料理にもなりかねません。安全安心の有機無農薬無添加食品が冷蔵庫の中で干からびていたり傷んでいるのを見ると、ホントーにかわいそうになるのです。

見た目が悪い、鮮度がよくない食品を避けて、見た目や鮮度のいいもの（例えば賞味期限の長い食品）を買うのが世間では「賢い消費者」と呼ばれていました。僕は賢くなくてもいいから、あえてそんな食材を手にしてきました。これを美味しく調理すれば廃棄不要です。

19歳で親元を離れた時は料理初心者でしたが、どんな食材でも美味しく食べる工夫をしていたら『台所リストラ術』に書いたような調理がいつの間にかできるようになっていました。

食べものは「作るもの」から「買うもの」へ

明治〜大正〜昭和の料理本をたくさん集めて家庭料理における調理技術の変化を検証してみました。その中でよく見かけるのが「戦後は食文化、調理技術の伝承が行われてこなかった」というような表記です。「戦争があったことも影響して台所術が母《おや》から娘《こ》へ伝承されなかった」とも書かれていますが、見方を変えてみますと「台所技術の出番がない食生活スタイルの時代になったから伝承する必要もなかった」とも言えるのです。

外食、中食、流通の発達で食べるものは「作るもの」から「買うもの」に変化した。生まれた時から「食べものは自宅で作るのではなく買ってくるもの」という状況で育った子どもにとって作る技術は必要性もなければ見たこともない「無用の技術」でしかないから、「私、料理、デキマセン」はごく自然な形で、手抜きなどと批判されることではないのです。しかしそのような食べ方、生き方が続けられる状況ではなくなってきていることは昨今のコロナ騒動などで実感したのではないでしょうか。

「竈無くして自立無し」

個人宅で食材を調理することがなくなり、その日に食べるものは調理済みの食品を買うか外食する。言い方を変えると「食のその日暮らし」です。出来合いの「食」は加工場で作られ、流通ルートに乗ってコンビニなどの店舗に届けられますから、流通に支障が生じればその日から食事がとれない食事難民が出現する。これが一過性ならレトルト食などでしのげますが、世界中で食糧の自国優先政策が進み、異常気象で食糧生産が落ち込んだりしたら、お金を積んでも長蛇の行列に並んでもご飯にありつけない状況になります。どこからもご飯はやってこないから自分で作らなければならない。

食事作りを他者に任せることができなかった時代は、自分の（家族の）食は自宅の竈《かまど》（台所）で賄っていましたが、食を買う時代になると竈（台所）は不要になる。ヒトが生きる上で必要不可欠な食を流通頼みにして、ヒトは自立性を保てるでしょうか? 「竈無くして自立無し」という言葉が身に沁みるのです。

「自分ではできない」と決め込む前に

20世紀はScrap&buildの時代、捨てる&買うの時代だったと言えます。右肩上がりの経済発展をすることが豊かなこと・良いこととされ、自宅でごはんを作るより外食することが、古くなった家財道具を修理して使い続けるより新品に買い替えることが経済発展するとされてきました。しかし異常気象や大災害などをきっかけにヒトビトは捨てる&買うの生活スタイルが自らの首を絞めていることに気がついたものの、身に沁みついた浪費生活のせいで、生活技術を忘れてしまった。しかし作る技術・直す（修理する）技術の習得は難しいことではないと思います。

基本的な考え方は「自分にはできない」と決め込むのではなく「まだやったことがない」だけであると考えることです。知らないこと、できないことは「まだやったことがない」だけなので、まずは一度体験します。でも一度の体験だけで習得は無理。高梨沙羅さんだって、何千回もジャンプしたから130m越えができるようになったわけです。

体験したことを反復すれば技術が上達します。このような経験値の積み重ねが生きる技術としてこれからは必要になるのではないでしょうか。僕の料理技術、生活技術をいくつかの生協のＷｅｂで共有することを始めました（注）。

「エシカル消費」って何?

嫌でもエシカル消費（倫理的消費）に舵を切らないと生存できなくなる、と考えるヒトが増えています。これに同調する人は多いでしょうが、実現には「最少の消費で最大の成果を得るスキルが必要です。スキルを持たない同調は一時的な熱病で終わることもある。全世界外出禁止令……みたいな不自由な状況になると、ヒトビトは「フツーの平凡な毎日がいとおしい」と言いますね。そんな日常って、食べて排泄して、笑って泣いて……のような、今風に言うと「しょぼい暮らし」なのかもしれません。

どんなに絶望的であっても失望しない食べ方、これが1994年の『台所リストラ術』でした。「しょぼい」食材や調理器具しかなくても、最高の食生活ができる自分でありたい。こんな時だからではなくどんな時でもそのように生きるのがエシカル消費ではないでしょうか。

（2020年3月24日記）

うおつか・じんのすけ　1956年福岡県生まれ。著書『うおつか流　台所リストラ術』（初版農文協、新版飛鳥新社）、『国民食の履歴書』（青弓社）、『うおつか流　食べつくす！』（農文協）ほか多数。

（注）生活クラブ生協・「生活と自治」Web版連載「あっ!! できたっ 料理術」https://seikatsuclub.coop/seikatsutojichi/cook.html
パルシステム・Web通信KOKOCARA連載「今日からできる台所術」https://kokocara.pal-system.co.jp/

食生活からみる

まずは免疫力を高めることから

食事と咬み合わせの改善

丸橋全人歯科理事長　丸橋　賢

新型コロナウイルスは不顕性感染が多く、感染を10％防ぐのは不可能だという。であれば、感染しても発症しない体を備えることだ。ウイルスにとって最初の防御壁となるのは口腔。そして歯と口腔の健康は体全体の健康とつながっている。長年、歯と食生活と健康の関係を研究してきた歯科医師の丸橋さんに、新型コロナへの対処法をうかがった。（編集部）

新型コロナウイルスに対する現在の世界の騒ぎは、国も人もパニック状態と言えます。

確かに感染がステルス的で、抗体やワクチンができにくいのではないか、まだ治療薬がない、などからウイルスの正体に不安が拡がるのも理解できます。しかしパニックは常に無益で損失は大です。ここは淡々と合理的対処で向かうのが正道でしょう。

通常、ウイルスに対する抗体は感染後間もなくでき、生体は防御されます。封鎖された武漢で、新しい感染数が激減している（中国の発表が正しければだが）ことからも、このウイルスも例外ではないことが示唆されます。

私はインフルエンザと同様の予防を励行し免疫力を高める対策を行えば、あとは過剰反応しないほうがよいと思います。ドイツの死亡率が低いことは医療の充実の大切さも示しています。後述の通り、免疫力を高めるのは簡単で効果は絶大です。これを基本として通常通りに働き、学び、軽い感染で抗体を獲得するのが、理性的な道と考えます。現在のようなパニックは、経済的打撃は甚大で、結果的に効果は上がらないでしょう。ワクチンも間もなくできるはずです。

免疫力を高める手段はいくつかありますが、ここでは簡単で著効が期待できる食事と咬合改善について記します。

インフルエンザネズミも抗酸化物投与で95％生き残る

前田浩　熊本大学名誉教授が1989年「サイエンス」に発表した衝撃的実験結果を見てみましょう。

インフルエンザに感染したマウスをつくり、死んだマウスを精査すると、ウイルスはまったく存在しなかったのです。これは、病原体は必ず宿主の体内にいるというロベルト・コッホの定義を覆すもので、驚きの事実です。

不審に思いさらに調べると、死んだマウスの肺に大量の活性酸素が発生していて、肺炎を起こしていたのです。マウスを殺したのはスーパーオキサイド（活性酸素）でした。

侵入したウイルスをやっつける銃弾として、防御側の白血球は活性酸素を大量に作り、ウイルスを撃ち続ける結果、ウイルスは死滅し、活性酸素が大量に残り、これが肺炎を起こしたとの仮説が成り立ちます。

そこで前田先生は活性酸素を消去する抗酸化物質をマウスに与え同じ実験を行いました。

すると95％のマウスが生き残ったのです。

肺炎を起こしてマウスを殺すのはウイルスではなく、活性酸素だという事実が証明されたのです。対コロナウイルスでも、この手が効きそうです。

現在では抗酸化物質（ファイトケミカル、抗酸化ビタミン、グルタチオンなど）がインフルエンザのみではなく、がん、動脈硬化、糖尿病など生活習慣病に高い効果があることが証明されています。抗がん剤の権威の前田浩先生が著書『最強の野菜スープ』の中で、副作用が苦しい治療より野菜スープをすすめているのは、おいしく、苦しくなく、効果が高いからです。

ファイトケミカルをしっかり摂る食生活を——「良い歯の会」40年からのすすめ

私は「良い歯の会」という健康教室を40年間続けています。延べ参加人数は7万人弱で、毎月第二土曜日の午後、今でも続けています。始めたきっかけは、学説に従って治療をしても治らない歯周病があまりに多いことに疑問を抱いたことです。観察を続け、私は通常の手術、ブラッシングなどでは治らない歯周病では、患者の体質に共通の特徴が認められることに気づきました。そこで患者さん2000人以上の食事分析、血液検査、他の疾患の有無などを調べた結果、歯周病にならない人と、歯周病の人では、食生活バランスに明白な違いがあり、それが血液検査結果にも反映されていることがわかりました。歯周病の人は、他の生活習慣病も多く持っていました。

両者の栄養素摂取量を、厚労省が摂取目標とする数値を100とする円グラフ上に記すと、歯周病にならない人は、エネルギー、脂質、蛋白はグラフ円内に納まり、ビタミン、ミネラル、食物繊維が大きく突出しています。歯周病の人は、エネルギー、脂質、蛋白が突出し、ビタミン、ミネラル、食物繊維は不足です。（拙著『新しい歯周病の治し方』農文協参照）

同時に、歯周病にならない人は全身的にも病気が少なく、歯周病の人は貧血、動脈硬化、糖尿病など、生活習慣病だらけであることがわかりました。歯周病になる食は、病気になりやすい体質を作ったのです。

そこから私は食事指導に力を入れ、良い歯の会を始めたのですが、食事改善をした上で治療すると、いわゆる難治性歯周病が実によく治るようになりました。加えて体調も著しく改善したのです。

食事指導の基本は

・主食は精白しない（三分搗きまでとする）
・野菜、海藻、小魚を十分摂る
・主として大豆製品、ナッツ、魚で蛋白、脂質を摂る
・加工食品、砂糖、肉は控える

などを柱としたもので、中でも具沢山みそ汁を40年間推奨してきました。

①具沢山みそ汁でファイトケミカルを摂る

ファイトケミカルを大量に摂るのに、具沢山みそ汁は最適です。ファイトケミカルは植物が紫外線、放射線、有害環境物質などから生命を守るために合成している化学物質で、1万種以上あります。リコピン、ルテイン、カロテノイド、ポリフェノール、イソフラボンほか、実に多種類あり、その抗酸化力は強力でしかも多種類が相互補助的にネットワークで働くので、効果は強大になります。サプリメント単体で摂ってもあ

まり効果がないことがわかっています。最近脚光を浴びているホールフードがベストの摂り方です。

　植物にがんがないのは、このファイトケミカルの働きによります。ファイトケミカルは細胞壁の中にあり、加熱して細胞壁が壊れると煮汁に溶出します。多種の野菜を煮た具沢山みそ汁は多量のファイトケミカルを摂るのに最高です。

「良い歯の会」40年のみそ汁は写真の如く、昆布、干しシイタケ、煮干しでだしをとり、野菜をたくさん入れて煮るだけです。仕上げにみそを加えればみそ汁、そのままなら野菜スープで、効果はどちらも同じです。

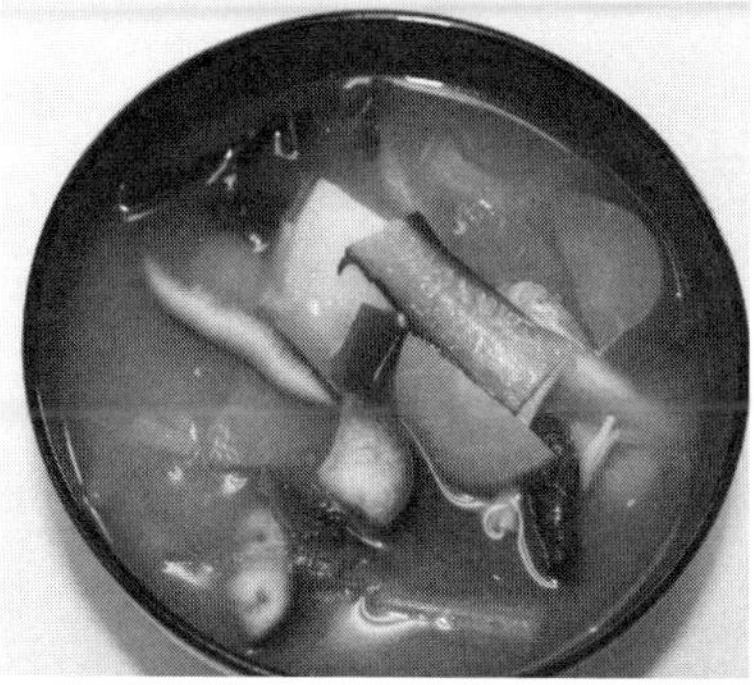

良い歯の会で40年、試食に出している具沢山みそ汁
活性酸素を消し、体にしみ渡ってゆくのがわかり、美味しい

②野菜サラダで酵素を摂る

　小松菜、ホウレンソウ、水菜、セロリ、春菊、人参など多種類のサラダを①と同時に食べます。目的は酵素を摂ることで、生野菜はよく咬んでも細胞壁は少しか壊れず、ファイトケミカルを摂るのには不向きです。しかし生命活動（生化学反応）に酵素は不可欠です。酵素は熱ですぐに壊れるので、どうしても生野菜は必要です。最近注目のスルフォラファンも、ブロッコリーなどの中に前駆体と酵素が別々に存在し、生でよく咬まなければ反応してスルフォラファンは合成されません。

　具沢山みそ汁、野菜サラダの両方を食べれば、免疫力はアップし、細胞も若々しく元気で抵抗力が上がります。

咬合→自律神経→免疫力強化

　もう一つ、これは全人歯科医学の得意分野ですが、咬合が狂うと自律神経バランスは大きく失調します。免疫細胞のバランスと活性は自律神経支配下にありますから、咬合に狂いのある人の自律神経は失調し、免疫力は低下します。免疫力を上げるには、前述の食生

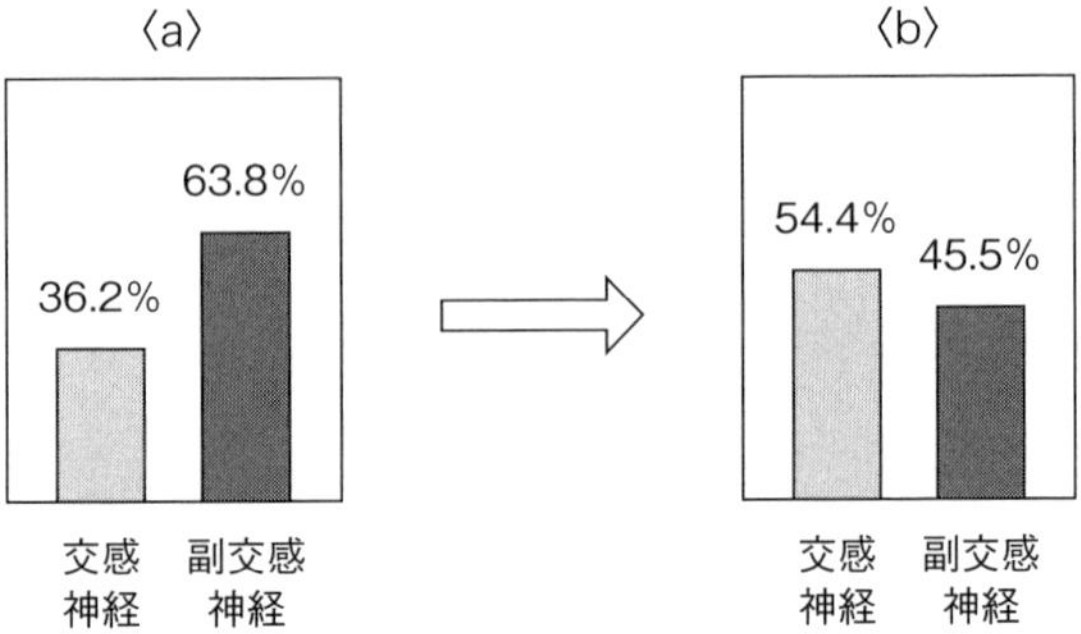

咬合の狂いを正すと自律神経の不調和が15分で改善した
（昼は交感神経60％、副交感神経40％が標準）

活のほか、体を温める、呼吸法、運動や睡眠など、有効な手段がありますが、咬合が狂ったままでは効果に限界があります。

図の〈a〉初診で咬合に狂いのあるまま、〈b〉がバイトトライといって上下顎の位置を正中に補正し、シリコンを咬ませた後の交感神経、副交感神経のバランスです。昼は交感神経の働き60％、副交感神経40％が標準ですから、咬合を調整すると自律神経が調和するのが一目瞭然です。歯が免疫力を左右する重要なキーになっている事実を忘れないでください。

（2020年3月23日記）

まるはし・まさる　1944年、群馬県生まれ。歯科医師。著書『いのちを見つめて歯から治す』（農文協）、『退化する若者たち―歯が予言する日本人の崩壊』（PHP新書）、『癒やしの思想』（春秋社）ほか。

教育からみる

コロナ禍を「学校の閉塞感」をやぶるきっかけとするために

学校と地域の融合教育研究会会長　宮崎　稔

全国一斉休校という未曾有の事態に直面した小中高等学校。現場の教師はとまどいながらも模索をはじめた。それは教師の真価と地域の教育力が問われる場面でもあった。長年、学校を地域に開放する活動を展開してきた宮崎さんに聞いた。（編集部）

一斉休校要請に職員室は

安倍首相が、全国の小中高校、特別支援学校について3月2日（月）から春休みまで一斉休校するよう要請したのが2月27日（木）のこと。その報道を聞いた翌日に、ある高校教師から電話がありました。

「悔しくて……」と言った後、彼は言葉を詰まらせました。少しして、「校長からの休校という話があった後、職員会議はすぐに散会しちゃったんですよ」

だからどうしたというのだろうかと思っていると、彼は続けました。

「本当は休校が決まってからが、教師の役割だと思うんですよ」

彼は意気込んで言いました。

「それなら、教師として明日から何をしたらよいかということを話し合うのが教師の役割であり、職員会議の意味だと思うんですけど、何の話し合いもしないで散会してしまった。そして、それをストップできなかった自分が情けなくて……」

彼の言いたいことがようやく呑み込めてきました。

企業で10年以上働いた後に教師に転職した彼は、教育に夢を持っていました。大学に進学する生徒も少なく、様々な課題を抱えている生徒が多く集まる高校に赴任してからは、「うちの学校に来るような子たちこそ、学校は必要だと思うんですよね。教師になってよかったですよ」と意気に燃えて、生徒たちと心が通うように努力しているようでした。

そういう彼でさえ、管理職をはじめとして、教育委員会からの指示に対してそのまま受け止めるだけの学校現場の実情に対して次第に物足りないものを感じ、危機感さえ持つようになっていきました。教育委員会の指示に管理職としても従わざるを得ないのはわかるとしても、だったらそれをこの学校ではどのように受け止めて、子どもにどう対応したらよいかということを検討さえしないというのです。でも、今、このような学校は少なくないと思います。

こうしてみると、コロナの問題は、理想とかけ離れた教育界の現状をあぶりだしたと言えるのではないでしょうか。どの教師も夢をもって教師を志しながら、その夢を実行できないまま日々の忙しさに忙殺されていることは、歯がゆいことだと思います。そしてそれは、理想とする学校経営の姿を描いてその職についた管理職も同じでしょう。いつの間にか教育委員会から指導を受けないようにするために横並びになり、また責任問題になるようなことを起こさないことが管理職の仕事であるかのようになっていないでしょうか。全国一斉の休校要請についてもさまざまな反応がありましたが、教育現場の現状からしてみれば、いずれにしても唯々諾々と従ったであろうことは推察できます。

子どもの「学ぶ権利」を保証するために工夫を

本来、教育は子どもたちが主体的に生きていくための創造性を身につけるところです。だから教師自身も創造的でなければならないと思います。そこに教育に従事する者の醍醐味もあります。ところが、いつの間にかトップダウンで下りてくることに対して、ロボットのように何も考えずにこなすだけの仕事になってしまい、「忙しい」を連発している現場に成り下がってしまったのではないでしょうか。でも、こういうことは何も教育界だけの問題ではないのかもしれません。社会のさまざまな場面で、上の指示に言いなりになるというロボット化に気づいていないことは怖いことです。

今、新型コロナウイルス感染予防という、これまで経験したことのない危機が学校に降りかかっています。全国一斉休校の妥当性はひとまずおくとして、それへの対応は全国一律というわけにはいかないと思います。未曾有の事態のなかで、子どもたちの「学ぶ権利」をどう保証するのか――それぞれの地域、それぞれの学校の事情に合わせて工夫することが必要になってきます。つまり、危機的状況の時は、逆に創造性を発揮できる時ととらえることもできるのではないでしょうか。この民主主義国家において、「子どもファースト」という視点に立てば、教師の工夫次第で何かができるのではないかと思います。

その一つとして、長期の休校を余儀なくされたなかで、ＩＴを活用した遠隔授業が注目を集めています。授業の遅れを取り戻したり、学校と子どもをつなぐツールとしては大きな効果があるでしょう。ただ、それですべてが解決するかのように報道されていることには違和感があります。たとえば、（いずれはすべての子どもにタブレットをもたせるようになるかもしれませんが、）少なくとも現状では、兄弟姉妹がいる家庭では同じ時間に授業を配信することはできないので、学年によって配信時間をずらす必要がでてきます。これでは6時限の授業をこなすのは、物理的にむずかしいでしょう。そもそもインターネットがつながらない家庭もあるし、パソコンの操作ができない子もいます。

そして、もし接触を断たれた個人が学校に行くよりも家にいてＩＴを使って指導を受けるほうがよいと考えるようになったとしたら、弊害も大きいといえます。

子どもたちが学び、成長するとは知識の獲得ばかりではありません。「ヒトは、人によって人となることができる」といわれるように、子どもの「学ぶ権利」を保証するとは、孤立した個人（孤人）としてではなく、人間関係のなかで学び合うことを保証することではないでしょうか。

保護者、地域の人と教師の壁を取り払うことから

そして子どもの「学ぶ権利」は教師だけでなく、保護者や地域の人が協働によって、よりよく実現するものではないでしょうか。

私は、25年前に首都圏の都市化の進む新興住宅地で

不登校児の多かった学校に校長として赴任しました。保護者や地域から学校への要望も多く、また問題が起これればすぐに教育委員会から指導があるという状況で、教師は疲れ切っているような印象を受けました。教師は新しいことに取り組んで信頼を得ていこうというよりは、できるだけ平穏に一日をすごすことを望んでいるような風潮があり、保護者も学校の事情をよくわからないままに要望を突きつけることが少なくありませんでした。管理職として、このような閉塞感を打開していくのには、保護者や地域との協力体制を築くことが何より重要と考えました。そうして、まだほとんどの学校ではおこなわれていなかった「保護者や地域の人との教育活動（学社融合）」を始めたのです。

地域の方を講師として授業に招くのはもちろん、クラブ活動を地域の方に開放し、人材と言われるその道に秀でた人の指導を受けるだけではなく、経験のない人も「クラブ活動員」となって子どもとともに活動するようにしました。パソコンクラブのように、得意な子どもが苦手な大人に教え、教えることで個性を伸ばす例もありました。運動会は地域と合同で行いました。このような活動がさまざまな場面で展開されると、教師と保護者や地域の人との関係も密になってきて、言いにくいことも言い合える関係に発展します。立場が違うだけで共に子どもを育てているのだと実感できるまでになりました。「ヒトが人によって人になる」教育に、「地域の人」も参加するようになったのです。

私たちの活動はやがて「コミュニティスクール」という名で、全国で取り組まれるようになりました。

平素から子どもの居場所をつくっておけば

つい昔の話をしてしまったのは、こうした地域ぐるみで子どもを育てる仕組みを平素からつくっておけば、今回のコロナのような非常事態になってもあわてないと思うからです。そしてこうした対策は、教師個人だけでなく、管理職や教育行政もかかわるシステム改革がとくに重要です。今回の一斉休校で、多くの保護者が子どもを残して働きに出ることに心配をしました。学童保育も満杯状態になりましたが、もし、日中子どもを預かっていてくれる場が地域にあるのならどれだけ安心できるでしょうか。

私は、公立学校の教員を定年退職したあと、東日本大震災で大きな被害を受けた宮城県女川町で復興庁派遣の復興支援職員として2年間勤務しました。

そこでの取り組みのひとつとして、地元の社会教育主事と共同で実施したのが、地域で子どもを預かる「地域まなびや」事業です。これは夏休みだけの試行的な実施でしたが、地元の公民館や集会所を会場にして、子どもたちを地域の大人が見守りました。すると、学校から離れた地域に住む子であっても、家の近くの場所で友だちと関わり合いながら過ごすことができました。地域の人にとっては、勉強を教えられなくても、鍵を開けたり遊びの相手をしたりするだけでもよいので、それほど無理がありません。また、同じ人ばかりが担当するのでなく、都合のよい時に交代でおこなえますので多くの人が子どもに関わることができました。教師はといえば、地域にまかせっぱなしにするのではなく、時々見回ったり電話で様子を聞いたりすることで子どもと関わることができたのです。

「子どもは地域で育てる」と言われますが、地域の人が預かってくれているので、保護者は安心して仕事に行くことができます。大人と子どもの関わりも深くなります。女川町では夏休みだけでしたが、日常の放課後などにも取り組むようにシステム化していけば、新型コロナウィルスのようなことが起こっても学びがすっかり途切れてしまうようなことはありません。

＊

ほどなくして、再び彼から電話がありました。いくぶん元気を取り戻していて、その後職員会議でさまざまな具体策が話し合われていることを語ってくれました。家庭訪問に行きにくい状況のなかで、毎朝生徒一人ひとりが健康状態をチェックし、報告すること、学校再開後は個別面談し、とくに不登校気味の生徒や家庭環境に問題を抱えている生徒、外国人の生徒などの内面をそれとなく聞き出しながら、日常の様子を含めて教師同士で共有することを申し合わせたこと……。

新型コロナという非常事態をプラスに変えようとしている学校に手応えを感じ、やる気が出てきたようです。それを聞いて、私もうれしくなって、電話を切ったのでした。

（２０２０年4月5日記）

みやざき・みのる　千葉県教員として38年勤務。退職後は２００８年、島根県海士町学校支援地域本部長、２０１４年からは宮城県女川町で復興支援職員として活動。

新型コロナ禍のなかで農高生は

新型コロナで一斉休業になったのは全国の農業系高校も例外ではなかった。そこには野菜や花を栽培し、家畜を飼育する農高ならではの苦労もあった。家畜や、野菜・花のウイルス病への知識や経験もある生徒たちにとってウイルスは身近な存在でもある。

全国の農業を学ぶ生徒たちは「学校農業クラブ」（日本学校農業クラブ連盟）に所属しているが、そのプロジェクト活動で地域農業にかかわる課題に取り組む生徒を指導してきた2校の先生に、今の思いをつづっていただいた。（編集部）

丹精込めて育てたブタたちを見送って

神奈川県立中央農業高等学校　巻島弘敏

こんなにも長期にわたって、学校に行けない。

２０２０年３月初旬からの新型コロナウイルス禍による一斉臨時休校は、全国で８万人余りの農業系高校の生徒たちにとっても、おそらく未曽有の事態であった。

私が勤務する神奈川県立中央農業高等学校養豚部門では、地域の休耕田で栽培した飼料用米や近隣から出る食品残さ等の地域資源を飼料化し、地域ブランド豚肉「ちゅのとん」の生産に取り組んでいる。生産した豚肉は学校や地元デパートで販売したり、レストラン等で食材として用いるなど地産地消を実践している。

そこでの生徒たちの日常は、朝夕の給餌、豚房の清掃作業、健康チェック、体重測定、オリジナル飼料の開発・研究など、授業ばかりでなく始業前や放課後も含めまさに養豚一色である。種付けから子ブタの誕生、日々の成長、時には突然の死。そして最後は出荷し、肉となって帰ってくる。彼女たちにとっての学校、それは日々家畜のいのちを育み、それらと向き合う場所でもある。しかし、今回のウイルス禍をきっかけに、彼女たちはその場からしばらく離れざるを得なくなった。

人類一丸となってウイルスと闘う、彼女たちもこの事態を真摯に受け止めているに違いない。同じように、近年豚熱（ＣＳＦ）や高病原性鶏インフルエンザ、口蹄疫などど絶えず闘っている家畜たち、あるいは畜産業界。それらの姿も重ね合わせながら、そこでもきっといのちや健康を守り育むことの大変さ、重さを学んでいるのだろう。

3月下旬の久々の登校日。丹精込めて育ててきたブタたちとの約1ヵ月ぶりの再会は、同時にそのブタたちの出荷の日でもあった。

「大きくなったね」

驚きと嬉しさ、戸惑いが入り混じったような表情の彼女たち。

「おいしい肉になってね」

いつもとは少し違った眼差しでブタたちを見送っているように見えた。

（畜産科学科総括教諭）

イチジクのウイルス病対策のために、最先端のＰＣＲ検査を学んだ生徒たち

兵庫県立農業高等学校　今村耕平

連日の報道を通じ、ＰＣＲ検査について耳にするようになり、たくさんの方が〝ＰＣＲ〟という技術を意識されることとなりました。１９８０年代アメリカのマリスによって開発されたこの技術は、今では高校『生物』の教科書にも掲載されています。農業高校ではさらに専門的な学びとして『植物バイオテクノロジー』という科目が設定され、ＰＣＲをはじめとした農業における先進技術がよりよい社会の形成に役立つことを学んでいます。

私は農業の未来を考えるとき、生徒たちに何を学ばせるのか、どのように学ばせるのかを問い続けてきました。栽培や飼育を通じて職業人としての資質や能力の向上、食や命の大切さを教えることに留まっていては激変する環境と社会の変化にきわめて脆弱な産業となってしまうことを危惧していました。

そこで、農業を生命科学の視点で学ぶことで、困難な状況を確かな技術によって切り開くという実践的な学びのしくみを工夫してきました。このひとつが地域特産果樹であるイチジクのウイルス病診断でした。2016年に生徒たちは農作物のウイルス病に苦しむイチジク生産者の力になりたいと考え、最先端のリアルタイムPCR装置を輸入し、実践的な学びを進めていくことになりました。

農作物のウイルス病診断は新型コロナウイルスと同様に、一見したところ感染していることが判断しにくい場合があります。これを診断するための方法はいくつかありますが、病原となるウイルスの遺伝子そのものを検出することが確実で有効であると考えました。しかしイチジクを汚染するウイルスは遺伝子がRNAであり、原理上PCRによって増幅できないため、ウイルスが存在していても検出はできません。これは問題となっている新型コロナウイルスも同様の性質を持っています。イチジクのウイルス病を診断するにあたって行政機関や大学・専門家との連携もあり生徒たちはRNAの逆転写に成功し、リアルタイムPCRによってウイルスの存在を「見える化」しました。これにより迅速で大量の病理診断を可能にし、地域に貢献できたこの取組は2018年に日本学校農業クラブ全国大会のプロジェクト発表会において農林水産大臣賞を受賞させていただくことができました。

農業高校の生徒たちが真摯に取り組んだ学びは、現在、安心して暮らせる社会を築くためのコア・テクノロジーとなっています。技術の対象が人であれ作物や家畜であれ共通するのは、未来に生きる子どもたちに探求的な学びを通じて希望を与え続けることであると感じています。（生物工学科教諭・博士）

Ⅳ

歴史と世界に視点を広げてみる

生命と人類の歴史から「目に見えない天敵」の意味を考える

探検家・医師・武蔵野美術大学名誉教授／人類学　関野吉晴

自然の循環の環の外にいる文明人

アマゾンの先住民、ヤノマミとは40年来の付き合いだ。彼らの家はシャボノと呼ばれ楕円形の巨大家屋で、村人全員100人前後がその1軒の家で暮らしている（写真）。

私がハンモックに横になって周囲を見渡して、いつも思うことだが、周囲にあるものは見事に素材がわかるものばかりだ。家を作っている屋根、柱、梁、柱や梁に載っている籠や漁網、ひょうたん、弓矢や糸巻き棒、燃えている薪、ハンモック等々。すべて自分で自然から素材を取って来て、自分で作ってしまうのが彼らの流儀だ。それに対して都会で暮らす私は、自然から素材を取って来て自分で作ることはない。すべてのものがお金で買えるからだ。

作ったものはいずれ壊れる。バナナ、イモの皮、魚、動物の骨などと共に森に捨てられる。しかし、動物たちが運び去り、ムシや微生物が分解して土に還る。私たち文明社会では問題になっている邪魔者としてのごみというものはない。糞尿も森に返して草木の栄養になっている。ヒトも自然の循環の環の中にいるのだ。

最近は足元の玉川上水の生きもののリンクを調べている。身近な街の中の自然だ。どこにでもいるタヌキ、糞虫を中心に、調べ始めて4年近くになる。その糞を調べれば食性、行動半径などもわかる。

アマゾン・ヤノマミ族の楕円形大型家屋（左上）とその内部（右下）

糞があれば糞虫が来る。タヌキが草木の実を食べれば、糞の中に種が残り、いつか芽を出し、群落ができる。そこに様々な虫や動物もやって来て、その土地特有の生態系ができる。すべての生きものがもちつもたれつの関係にあり、無駄な生きものはいないということがわかる。

野生の動植物の視点から見ても、野生の生きものはすべてがリンクしているのに、文明社会は自然の循環の環から外れている。自然はお互いに直接的か間接的かの違いはあるけれど、お互いに関係性がある。文明社会は自然がなければ生きていけないのに、自然は文明社会をまったく必要としていない。むしろ破壊者として、野生の動植物の多くを絶滅に追い込んでいる。

6度目の絶滅期の原因は人類

文明の始まりは農耕牧畜だった。穀類の栽培で余剰ができ、分業が可能になった。

農耕牧畜が始まると、動植物を飼育、栽培して、ヒトのより良き生存と快適さのためには、どんなものも利用していく。自然循環の環から外れて、自然を自分たちに都合のいいように操作するようになった。

高度工業社会、情報社会も基盤は農耕牧畜だ。ますます自然を操作し、核エネルギーを使い、臓器移植、受精卵や遺伝子まで操作するようになったのも必然的な帰結だ。

一方で、科学技術のおかげで、寿命は伸び、快適で便利な生活が送れるようになった。徹底して自然を痛めつけている先進国では飢餓から解放された。モノは溢れ、衛生条件も改善され、乳幼児死亡率も劇的に低くなり、寿命も伸びた。

今から6600万年前、恐竜が滅んだ時、私たちの先祖は夜行性の虫を食べるジネズミのような小さな動物だった。恐竜が滅んで、先祖は森に入り、樹上生活を始めてサルになった。餌は多様で豊富にあった。地上にいた時と比べて、天敵もいない。猛禽類も猛獣も襲ってこない。サルは大型化していき、ヒト科の類人猿、チンパンジーやゴリラが生まれた。

チンパンジーは5年に一度しか子どもを産まない。ゴリラは4年に一度、オランウータンに至っては7年に一度しか産まない。それでも子孫は残せた。森の中はそれほど安全なのだ。

天敵がいなければ安泰かというとそうではない。動物たちは常に天敵がいることによって生態系が安定している。食物連鎖の頂点にいる猛獣や猛禽類、草食の大型動物であるゾウやゴリラ、オランウータンでさえも天敵がいる。彼らの天敵は私たち人類だ。

38億年の地球の生命の歴史のなかで、ビッグ5と呼ばれる5度の絶滅期があり（注1）、今はビッグ6が進行中だ。この現在進行形の絶滅期の特徴は100万種近い動植物が絶滅に瀕しているが、ビッグ5の最後の絶滅期で恐竜が滅んだように、大型で強いと思われている生きもの（注2）が絶滅の危機に瀕していることだ。絶滅の原因がビッグ5と違い、私たち人類の行動によって彼らの生存域である森を破壊したり、密猟や狩り過ぎをしているからだ。

人類は安全な森から出て、地上に降りた。天敵のいない世界から天敵だらけのサバンナに進出したのだ。そのために、多産という選択をした。1年未満に一度は産むようになった。なおかつモノを運んだり、ゆっくりと遠くまで移動するのに有利な二足歩行を始め、家族、コミュニティを作り、火を使い生き延びてきた。その間、20種類の人類が生まれ滅んでいった。最後に残ったホモサピエンスは唯一生き延びて現在に至っている。そして科学技術の進歩によって、その気になれば、目に見える猛獣、猛禽類のような動物の生死、生息数までを、ある程度コントロールできるようになった。しかし、目に見えない病原菌、病原ウイルスはコントロールできずにいる。

天敵のいない人間を自滅から救った病気

霊長類学者の河合雅雄さんと何回か対談させてもらったことがある。河合さんは「食物が豊富でしかも競争相手がなく、天敵がいないとなると、森で進化した霊長類もその種が増加の一途をたどることになってしまう。そして、ゆくゆくは過剰に増えて自滅してしまいます。

この問題を救ってくれたのが感染症や寄生虫症などの病気という天敵ではないでしょうか。病気による調節作用が機能しなければ、霊長類の進化は途中で頓挫したかもしれませんよ」と語ってくれた。

私たちは共通の先祖をもつサル、類人猿の時代から感染症とは切っても切れない関係にあったようだ。

人類700万年の歴史を見てみると、その99％以上は採集狩猟生活をしていた。採集狩猟時代は小さなバンドを形成していて、グループが小さい。アマゾンのマチゲンガは15～25人で2、3年ごとに移動している。ヤノマミは100人前後がシャボノ（大円形家屋）に暮らしている。はやり病に罹患すると、家族ごとに分散して森の中で仮の家を作って、病の収まるのを待つ。

感染症が広範囲に広がったのは、農耕がはじまり定住生活をするようになり、文明が興って後のことだ。採集狩猟を生業にしている間は、孤立して暮らしているので、感染が広がることはなかった。

コロンブスが新大陸に到達する以前は疫病が新大陸に広がることはなかった。彼の航海は新旧二つの世界の人類が1万年ぶりに交流を始め、疫病が広がる端緒になった。

新旧大陸の運命を分けた搾乳による抗体の獲得

新大陸に人が住み始めたのはおよそ1万5000年前と言われている。その頃陸続きだったベーリング海峡を歩いて渡り、アラスカに渡ってしまった。極北の地に残った者もいるが、南下した者もいる。1万20

00年前には南米最南端パタゴニアに達した。

やがて温暖化が進み海面は高くなり、1万年前にはベーリング海峡が新大陸と旧大陸を隔ててしまう。これの時人類は今までやったことのない、これからも絶対できない大実験をすることになる。人類を新大陸と旧大陸に振り分けて、お互いの交流を絶ったら、どのように進展していくかを見る、空前の大実験だ。

その結果興味深いことがわかった。どちらも植物は違うが栽培を始めるのだ。動物は違うが家畜の飼育利用が始まる。その上でどちらも5000年前にピラミッド、祭壇を建設するのだ。

両大陸共に家畜を飼育する。両大陸で違うのはメスの搾乳だ。旧大陸では牛、馬、ヤク、トナカイ、ヤギ、ヒツジまで乳を搾る。一方新大陸では、リャマやアルパカは搾乳をしない。実はこの搾乳の有無がコロンブス以降の新旧両大陸に住む人々の明暗を分けることになる。

初期の搾乳は現在のように衛生的な環境を作って搾乳できたわけではない。ミルクには病原細菌や病原ウイルスが混じってしまう。その抗体のない人間は感染する。搾乳によって以前は動物にしかかからなかった感染症が人間にもかかる人畜共通感染症になる。やがて動物にはシッカリと抗体ができて、人間だけが発症する感染症になった。麻疹、結核、天然痘は牛の感染症だったがその他の感染症も家畜の飼育によって始まり、ミルクの利用によって加速した。

麻疹、天然痘、インフルエンザなど皆一時は大流行するが、多くの感染症は高齢者など体力的に弱い者、免疫力のない者を淘汰する。生き残った者は抗体をもち、生き残る。

コロンブスがアメリカに到達した後、スペインやポルトガルの侵略者たちが新大陸に押し寄せた。メソアメリカではコルテスがアステカを、アンデスではピサロが200人に満たない軍勢でインカ帝国のアタワルパ皇帝を捕らえ、滅ぼしてしまう。

ピサロがやって来る30年前から、一獲千金を夢見たスペイン人を中心としたヨーロッパ人がやって来ていた。病原細菌や病原ウイルスが純粋培養で生きてきた住民たちを襲ったのだ。住民たちは経験したことのない病にひとたまりもなく罹患してバタバタと死んでいった。戦闘や虐殺ではなく、感染症で9割の住民が亡くなった。コロンブスがインドだと思って上陸したイスパニョーラ島（現在のハイチ、ドミニカ）の人口は800万人だったが、インカ帝国が滅びるころには感染症で全滅している。

人間はウイルスという「天敵」と共生できるか

これ以前、14世紀に中国で出現して、ヨーロッパに拡散して人口の3分の1が亡くなるペストの大流行があった。20世紀になって20年、スペイン風邪の流行があり日本も脅威に晒された。

1980年、20世紀最大の感染症のエイズが出現。その20年後SARSが出現する。エイズの原因ウイルスが明らかになるまで2年かかった。SARSの場合は1年もかからなかった。ウイルス遺伝子の検出や抗体の検出という確定診断が可能になっていた。隔離病室の設備も高度の安全対策がほどこされたものになっている。

それから20年後、中国の武漢で、新型コロナウイルスの出現だ。最初は地域的なものだと思っていたが、あっという間に欧米にも広がった。

ブラジルのFUNAI国立先住民保護財団は4月10日に、アマゾンに暮らす先住民のヤノマミ族の少年（15歳）が新型コロナウイルスに感染し、死亡したと明らかにした。感染源はヤノマミの地に不法侵入した金掘り工夫たちだ。1980年代より、この地はゴールドラッシュになり、ブラジル人が侵入、トラブルが絶えず、虐殺事件もあった。パンデミックは文明の恩恵を受けた人間が被る災難であり、自然の一部となって暮らしてきたヤノマミに及ぶことはなかった。先に2名のアマゾン先住民が感染しているが、文明と距離を置いて暮らしているヤノマミの地にまで忍び寄ってきたのだ。

パンデミックの根本的な原因は人間の環境破壊だ。その結果、逃げ場を失って人里に出て来た野生動物や人間が野生動物の聖域に入り込み、捕まえた野生動物を食べることによって未知のウイルスに感染した。エボラウイルス、SARS、HIVすべて同じ原因で人間に感染した。

人間のゲノムの10％以上がウイルス由来であるという。地球環境とはウイルスも含んで全ての生命が作り出す生態系を含む。そこでは種の多様性が大事で、成熟した生態系ではウイルスを含めて、無駄な生き物はいない。人間が短期的な利益目的でその多様な生態系を破壊した結果、新型コロナウイルスのような人間に都合の悪いウイルスが誕生した。人間の所業でできてしまったのだ。ウイルスも宿主であるヒトが滅べばウイルスも滅びる運命に遭うので、長い目で見れば、弱毒に変異したものが自然淘汰で生き残る。前の宿主と思われるコウモリとは既に共生関係にあるはずだ。

当面の目標は犠牲者を最小限にくい止めることに全力を尽くさなければいけない。グローバル化の拡大でヤノマミまで感染した。これから医療資源の貧しいアフリカなど開発途上地域に感染者が増える。

一方、収束後のことも考えなければいけない。

人間に都合の悪い新型ウイルスが忍び込んできたときどう対処するかを検討することも大事だが、その一方で、忍び込ませないようにするにはどうするかも考えなければならない。農耕革命以来、自然を操作して便利で、快適で、物質的に豊かな暮らしを続けてきた人間にとって大きな試練だ。この試練を有効に使い、どのように自然と付き合っていくかを真剣に考え、生き方を変えていかなければいけない。

短期的な利益を求める経済優先の生き方ではない。「もっともっと」と肥大してしまった欲望をさらに追い続けるのではなく、自然の循環系の環に入ることは難しいとしても、それに寄り添って、ないがしろにしないことが求められる。

（2020年4月7日記）

せきの・よしはる　一橋大学在学中に探検部を創設、アマゾン川全域を下る。その後、医師免許を取得。1993年から人類の拡散したルート5万3000㎞を腕力と脚力だけでたどる「グレートジャーニー」を足かけ10年で完結。2019年まで武蔵野美術大学教授（人類学）。

（注1）38億年前に地球上に最初の生命が生まれて以来、大きな絶滅の危機が5回あり、ビッグ5という。全地球凍結という試練もあった。最後の危機が6600万年前の恐竜絶滅の時だ。現存する3000万種はそれらの試練を奇跡的に乗り越えてきた仲間といえる。ビッグ5はすべて気候変動や巨大隕石の衝突など、人類が生まれる前に起こった悲劇である。

（注2）ライオンやトラ、ジャガー、ヒョウ、ピューマ、オウギワシ、ゾウ類、サイ、ゴリラ、チンパンジー、オランウータン、シロナガスクジラ等々。

「イラク水滸伝」から見たコロナ禍

ノンフィクション作家　高野秀行

文明と水滸伝が隣り合わせる湿地帯

ここ3年ほど、イラクの取材を行っている。といっても対象はイスラム過激派や宗派対立などではなく、「湿地帯」である。

砂漠のイメージが強いイラクだが、実はティグリス＝ユーフラテス川が国土を南北に縦断している。その二つの大河が交わるペルシャ湾近くには東京都の面積にも匹敵する広大な湿地帯が広がり、水の民が住んでいる。彼らはアラブ人であるにもかかわらず、浮島に住み、ボートを交通手段とし、水牛を飼って暮らしている。水牛の乳から乳製品を作り、獲った魚や葦でつくったゴザなどと一緒に町の市場へもっていって売り、代わりに小麦や米、塩、油などの食料や日常生活用品を入手している。

湿地は生活しにくい場所だ。夏は高温多湿で虫や蛇が多く、冬は凍えるほど寒い。季節によって水が著しく増減するので、人々はその度に移動を余儀なくされる。だから、好きこのんでこの地に住む人は多くない。

一方、迷路のような水路が広がり、巨大な葦が視界をさえぎり、泥やぬかるみが行く手を遮るため、外部からの侵入は難しい。そこで、戦争で負けた者、差別や弾圧を受けたマイノリティ、あるいは単なる犯罪者の逃げ込むアジール（避難所）となってきた。

イメージとしては中国の古典「水滸伝」そのままだ。この取材の雑誌連載のタイトルを「イラク水滸伝」とした所以だ。

興味深いのは、人類史上初の文明もこの湿地帯で生まれたということだ。湿地の外縁にある固い土地に大きな集落ができ、やがて周囲の湿地に排水設備を整えて灌漑農業を始めたのがわれわれの文明のスタートだったとされている。

つまり、文明と水滸伝は隣り合わせだったのに、数千年後には怖ろしい差がついてしまった。湿地民は、ある面では今でも5000年前と変わらない生活をしている。葦でドーム型の家を作り、水が増えたり減ったりするごとに舟で家ごと移動している。葦の家も舟の形も古代メソポタミア（シュメール）時代のレリーフにあるものとそっくりで、湿地民の生活ぶりからシュメール人の生活が透けて見える。

かたや文明側はどうか。5000年前ですら今の湿地帯よりレベルが比較にならないほど高かった。湿地帯の近くにある博物館では、楔形文字でびっしり書かれた粘土板が展示されていた。なんと「土地の賃借契約書」だという。目眩がした。今の湿地帯には土地の貸し借りなどない。なにしろみんな移動民で、私有地などないのだ。文字の読み書きもできない人が多い。現在の湿地帯から博物館に行くと、5000年前に時代を遡るのに、逆に未来へ行くような錯覚に陥ってしまう。

都市と文明にとって「三密」は不可避

帰国して、資料を当たるとシュメール人の文明の高さにあらためて驚かされる。メソポタミア考古学の第一人者である小泉龍人氏の『都市の起源』によれば、人類史上最古の町ウルク（自衛隊が駐屯していたサマワの郊外に遺跡がある）は皇居の約3倍の広さがあり、目抜き通りを軸とした都市造りがすでに行われていたという。目抜き通りは川と並行するように作られ、それに沿って下水も完備されていた。

神殿は下水の上流に、土器の工房は下流に配置するなど、衛生面にもひじょうに気を配っていた。神殿はことに清潔に保たれるよう、風通しや湿気対策もされていた。現在の湿地民にはトイレも下水もないのにだ。

「これが文明と非文明のちがいか！」と私は嘆息した。

そう思っていたらこのコロナ禍である。厚生労働省の設置した新型コロナウイルス感染症対策専門家会議は「三密回避」を繰り返し訴えている。「三密」とは

「密閉（換気の悪い密閉空間）」「密集（大勢がいる密集場所）」「密接（間近で会話する密接場面）」である。

「湿地帯へ行くしかないじゃん！」と私は思った。イラクの湿地帯では人々は家族単位で暮らし、組み立て式の家は広大な水と泥の世界にぽつん、ぽつんと点在しているだけ。モスクもなく、町の市場へ行くときを除けば密集する機会などない。家は葦でできており、すきま風が入り放題で、屋外にいるのとさして変わらない。密接する機会も当然少ない。

東京にいるより確実に安全だろう。ちょうど3月末に1ヵ月ほどまた湿地帯へ行く予定だったので、「早く水滸伝世界に避難したい！」と思っていたら、3月上旬にイラク政府より「中国人、韓国人、日本人、イラン人の入国を禁止する」という発表がされて、ビザを取得し航空券も予約していたのに、全ての計画は泡となってしまった。

なすすべもなく、家にこもりながらつらつら考えた。「文明（都市・都市）とはなんて災厄に弱いのだろう！」。

都市国家の逃げ場は湿地帯しかない

今の私はイラクで見た湿地帯から、かなりリアルに古代メソポタミア時代の都市国家と水滸伝をイメージすることができる。都市国家は生産力や戦闘能力は高い。だが、人間が密集しているというのはデメリットもひじょうに多い。一軒の家で火事が起きればあっという間に街中に燃え広がってしまう。川や湿地帯が増水しても逃げられず、もろに被害を受ける。逆に雨が少ないとき、湿地民のように水の多い場所へ移動することができず渇水に苦しむ。堅牢な石造りの建物は雨風には強くても地震には弱い。強い敵に武力攻撃を受けたら一発で全員がやられてしまう。独裁者が現れ、多くの民が奴隷のように苦しむことも生ずる。

そして、疫病。人類学者・政治学者のジェイムズ・C・スコットが『反穀物の人類史』で指摘していることだが、遊牧民や湿地民のように散らばって羊や水牛を飼っていれば、そう簡単に一つの群れから別の群れへ病気はうつらないが、一箇所に集めていればすぐに巨大な群れ全体に蔓延してしまう。

さらに今回のコロナウイルス同様、動物から人へ感染する病原菌がある。というより、感染症の大半は都市国家で発生したものだとスコットは指摘している。都市国家では人もまた密集しているから、すぐ大勢の人が感染してしまう。

こう考えると、以前は感嘆の対象だった文明の見方も変わってくる。下水を完備していたとか神殿の風通しまで計算していたというのは、それだけ疫病に苦しんできたということだろう。幾度となくさまざまな感染症に冒され、試行錯誤の結果、水や空気に細心の注意を払うという衛生観念にたどりついたのだろう。その前に、そしてその後も、都市国家の人々はどれほど感染症に悩まされ、大勢の犠牲者を出したことだろう。

想像してみる。感染症が発生したとき、都市国家の人々はどうしたか？　まず城壁の外へ出たいと思ったはずだ。古代メソポタミアには専門家会議もクラスター班もなかっただろうが、経験で「三密はヤバい！」とわかっていたはずだ。でも、他の町にはおそらく入れない。感染症発生という怖ろしいニュースはあっという間に他の町（都市国家）に広がり、「よそ者入国禁止」の措置がとられたはずだ。

となれば、行き先は一つしかない。私同様、湿地帯を目指したはずだ。湿地帯には人が住んでない場所がいくらでもあるし、家は数日で作れるし、魚や食用の植物も多く、生活水準はガクンと落ちても生き延びることはできる。日頃から湿地民と交流をもっていた人たちは友人として迎え入れられたかもしれない。

そうなのである。文明は災厄に見舞われやすく、その場合、水滸伝世界が手近で有力な避難所になっていたにちがいないのだ。

水滸伝感覚をよりどころに

これまで私は文明と非文明を対立概念のように考えてきたが、むしろ「補完関係」にあると考えた方がいいのだろう。とくに人類全体を見渡したときはそうである。

文明は密集する性格をもち、ゆえに管理を強めなければならず、ゆえに災厄に弱い。一方、水滸伝の本質は分散であり、管理を嫌い、アナーキーであるが、災厄には強い。

ひるがえって今の日本を考えてみる。われわれはこの歴史上の関係性から何かを学べるのだろうか。正直言って難しい。

なにしろ、現在の日本には湿地帯などない。アジールもない。

まったく悲しい話だが、今の日本に必要なのは、ITの進歩と国家による適切にして強力な管理だと思う。もはや人間と人間が生身で会う必要は低くなり、ネットでつながっていればそれでよく、いつでも誰かが誰かを電脳を通して見張っている（育児や介護も含めて）という時代になる。また、そうでないと、この労働力不足で予算不足の超高齢化社会を維持できない。実際に古代メソポタミア以来、人類は、文明の欠点をイノベーションで乗り越えることで発展してきた。今さらそこから下りることはできない。

このコロナ禍がいつ終わるのかまったくわからない。次にイラクや他の外国へ行けるのもいつになるか不明だ。もしかしたら5年以上かかるかもしれない。そのときは外国へ行って取材して紙の本を書くなんてアナログな私の仕事は消滅しているかもしれない。

将来のことを考えると、とめどもなく暗くなってしまうのだが、そのくせ心の底にはどこかそれを楽しんでいる自分がいる。どうしてかわからないが、いつも悲惨な状況になると、9割ぐらいは不安や絶望感に押しつぶされかけながら、1割ぐらいはワクワクしてしまう。ソマリアで周囲を武装勢力に囲まれて身動きがとれなくなったときも、東日本大震災で原発がメルトダウンを起こしたときもそうだった。

決して私だけではあるまい。大雪や巨大台風や戦争でワクワクしてしまったことのある人は多いだろう。不謹慎で説明困難なこの感情こそ、人間のもつアナーキーな本能だろう。今まで見たことのないものを見たい。新しい体験をしたい。たとえそれが巨大なリスクを伴うものであっても。一種の冒険心や探検精神あるいは単に「アホ」なのかもしれないが、それこそが壊れやすい心のアジールであり、自分が望まない変化に対応するうえでのセーフティネットなのではないか。わが心の奥底に棲む水滸伝感覚を大事にしながら、事の成り行きを見守っていきたい。

（2020年4月4日記）

たかの・ひでゆき　早稲田大学探検部の活動を記した『幻獣ムベンベを追え』（集英社文庫）でデビュー。著書『アヘン王国潜入記』（同）。『恋するソマリア』（同）など。「イラク水滸伝」は『オール讀物』に連載。

現地レポート

ドイツにみる民主主義と政治の責任

メルケル首相が言葉と行動で示したこと

児童文学作家／ドイツ在住　那須田 淳

はじめ市民の反応は鈍かったが

「これは東西ドイツ統一以来、いいえ、第二次世界大戦以来、この国が迎えた最大の試練です」

3月19日の夕方のスピーチで、テレビを通してメルケル首相がこう語りはじめたとき、ドイツに暮らす人々は、はじめて明確に「今、世界で何が起きているか」を自覚したかもしれない。

ドイツでコロナ問題が自分たちの生活に直接関わるものとして認識しはじめたのは、じつはこのおよそ数週間前に過ぎない。2月28日に、ドイツでも感染者が増加しはじめたことがニュースになり、中国や韓国、あるいはイタリアからの参加が見込めないことや、ウイルス防疫の対応ができないことから、3月初旬にベルリンで開催される予定だった世界最大級の旅行見本市「ＩＴＢベルリン」が中止されることが急きょ発表された。

それまでも、北部イタリアでの感染拡大を受け、新型コロナウイルスが今後ドイツにおいても流行する可能性があるとのシュパーン連邦保健大臣の発言があったが、市民の反応は明らかに鈍かった。

コロナ禍は、中国の武漢や韓国、あるいはクルーズ船「ダイヤモンド・プリンセス」号での対応ミスから感染拡大を起こしてしまった日本などアジアのもので、自分たちはその圏外にいると思っていたのだろう。それが、「自分たちも巻き込まれるかもしれない」

と、市民たちに感じさせたのは、ドイツでの感染クラスター要因にあった。

ドイツの冬休みは、クリスマスから年始のクリスマス休暇とは別に、州ごとに2月初旬から順次とることになっている。これがスキー休暇ともいわれるもので、文字通り、多くの人たちが、人気リゾート地でもあるスイスやフランス、さらにオーストリアから北イタリアにかけてのチロル地方のスキー場へとむかう。つまり、山を越えたすぐむこうは、イタリアの最大の感染地ロンバルディア地方があり、そのチロルからのスキー帰りの人々が、つぎつぎドイツに戻ってきて感染源になっていく……。隣人が感染源になるという危うさに、人々はようやく気がついたのだ。

国境検問で一気に緊張感が高まる

そこでドイツが行った最初の対策は、感染危険地域への渡航と入国の制限だった。このとき、日本は危険地域とされなかったけれど、中国、韓国、イタリア、イランとともに、入国にあたって、新たに所在追跡・健康質問票への記入が義務づけられた。これはドイツに暮らすわれわれ日本人にとっては衝撃だった。それと前後して、各企業や大学関係者が日本への出張を禁止したり、帰国後14日間の自宅待機を自主的にするようになって、おそらく一般のドイツ人たちよりもはやくに緊張感を抱きはじめたかもしれない。

ただ、このままゆっくり感染が広がり、ワクチンが開発されるか、市民の多くが集団免疫をつけるまで、市民生活を維持しながら、時間稼ぎをすればよい。これが当初にドイツ政府の描いていたシナリオだったと言われている。けれども、イタリアの感染拡大はまたたくまに全土におよび、さらにスペイン、中東のイラン、隣国フランスまでもが危険地域とみなされると、さすがにドイツもいずれ都市封鎖するのではという噂が囁かれはじめ、市民の動揺は急に大きくなって、まずトイレットペーパーがスーパーマーケットから消え、パスタやトマト缶、卵、さらには小麦粉と砂糖の棚が空になった。

そして3月13日、やや右傾化しているポーランドが国境封鎖を決め、それと前後して周辺国が相次いで封鎖されるに至る。

ここで15日、ドイツ政府も新型コロナウイルスの感染拡大を防ぐため、隣接するフランス、スイス、オーストリア、ルクセンブルク、デンマークの5ヵ国との間で16日午前8時（日本時間同午後4時）国境検問を実施すると発表した。欧州の多くの国では入国審査なしで互いに行き来できるシェンゲン協定を結んで、移動の自由を保障してきたのだが、ユーロの中心的な存在であったドイツが入国制限に踏み切ったことで、欧州は一つという原則が揺らぐことになった。

この発表は、市民の緊張感を一気に高めた。

コロナ禍がドイツ市民に強く認識されて、わずか約2週間の出来事だ。

市民活動の制限を求めたメルケル首相のスピーチ

こうして時系列的に紹介していくと、新型コロナウイルスがヨーロッパをいかに急速に拡散していったのかわかるだろう。

この間のドイツにおける感染者数は、ドイツ保健省の発表によると以下である。

2月28日53名、3月4日240名、3月13日3062名、3月18日10999名……。

この感染者数の急増には、ドイツがPCR検査を3月末には週に50万件まで実施するようになったという背景があることは付け加えておかなければならない。

ここに至って、3月19日木曜日の夜にメルケル首相のスピーチが行われたのである。

この趣旨は、市民になぜ「外出制限」を課すのかという点にあった。首相は、市民活動が制限されることで起きる人々の不安や心配に言及したあと、以下のように続けた。

「今日このようないつも違った方法で、皆さんに話しかけているのは、この状況下で連邦首相としての私、さらに連邦政府の同僚たちが、これから何を導こうとしているのか、直接、お伝えしたかったからです。開かれた民主主義にとって必要なことは、私たちの政治的決断を透明にし、説明することです。私たちの行動の根拠をできる限り示して、それをお伝えし、伝達することで、みなさんの理解を得られるように努めなければなりません。もし、市民の皆さんがこの課題を自分の課題として理解することができたなら、私たちはこれを乗り越えられるはずです。このため次のことを言わせてください。事態は深刻です。あなたも真剣に考えてください。東西ドイツ統一以来、いいえ、第二次世界大戦以来、これほど市民の一致団結した行動が重要になるという課題が、わが国につきつけられたことはありませんでした」

この後、メルケル首相は、現在のエピデミックの状況、連邦政府および各省庁が市民の生活といのちをどのように守り、経済的、社会的、文化的な損害を押さえるためにできうるすべてのことを実施することを明言し、この苦難にあたって、市民一人一人が必要とされている理由と、一人一人がどのような貢献をできるかについても子どもにもわかるように丁寧に語りかけていったのである。

「ソーシャル・ディスタンス」が行動の規準に

このときすでにドイツは、新型コロナウイルスに対する防疫に関する指針は、ロバート・コッホ研究所の専門家やその他の学者およびウイルス学者との継続審議から得られた所見をもとに提言していることは公表していて、ウエブサイトを開けば、防疫に関しては一般人から医療の専門家まで、具体的に知ることができるようになっていた。

この中で、感染を防ぐための効果的なものとしての「ソーシャル・ディスタンス」がある。これはロバート・コッホ研究所が設けたQ＆Aではこう明記されている。「新型コロナウイルスの感染を防ぐには、インフルエンザやその他の急性呼吸器感染症と同様に、咳やくしゃみをするときのマナーを守り、手指の洗浄、さらに他者との距離を、少なくとも1・5メートルあけることが求められます」

同じようなQ＆Aで、日本の厚生労働省でも、「予防について、①石鹸やアルコール消毒液などによる手洗い。②正しいマスクの着用を含む咳エチケット。③高齢者や持病のある方は公共交通機関や人込みを避ける」となっているが、対人との距離が明確に指示されている分、ドイツのほうが人々は行動しやすいだろう。

実際、このメルケル首相のスピーチ以降は、この「ソーシャル・ディスタンス」が絶対原則となり、スーパーなどでも、入場制限はもちろん、外で待つときも人々は自発的に守るようになっていた。

損害を補償する政策をつぎつぎに打ち出す

さらにメルケル首相は、多少の品薄にはなるが物流は確保するので、必要なもの以外は買わないようにと「買いだめ」禁止の指示をだし、翌日には自ら仕事帰りに近所のスーパーマーケットに立ち寄って、夕食の材料を購入するという日常をメディアに公開してみせた。これは特別なパフォーマンスではなく、彼女のごくふつうのスタイルであり、自分たちのリーダーは庶民感覚を共有していると明示することにも成功した。

さらにメルケル首相と連邦政府は、市民生活が制限されることでおきる損害に対して、数日のうちにつぎつぎと政策を打ち出していった。23日には、真っ先に、コロナ禍により、生活が厳しくなった子育て家庭、ひとり親へ、キンダーゲルト（児童手当）を子ども（25歳までの未婚の子を含む）ひとりにつき最大月額185ユーロ（約22000円）を半年間、通常の児童手当に加算すると発表した。

また、仕事がなくなった企業には、従業員に賃金補償として元の給料の60％が支給される、不足する場合には、年金、健康保険、失業保険料金なども代替される。さらに企業には税金の滞納延期、クレジットの支払い延期、店舗の賃貸費を払わなくても解約されないなどが約束された。また中小企業には3ヵ月分の支援金としてとりあえず9000ユーロ（110万円）、10人以上の企業には1万5000ユーロ（180万円）無利子クレジットとして支給されることにもなっている。この具体策で、少なくとも、国が自分たちに寄り添おうとしていることは示されたし、同時に市民に行動制限を守る責任感も植え付けることができた。

メルケル首相は、自由を奪うという民主主義の危機を打ち出しつつ、スピーチと一連の政策を組み合わせることで、民主主義とは、政府と市民の相互の責任と努力によって成り立つものであることを、双方に認識させたのである。

世界で、新型コロナが収束するのはまだしばらく時間がかかるはずだ。けれども、この危難の中で、政府と市民の間に連帯のきずなが築かれたこの国はなんとか持ちこたえるだろう、そういう不思議な安心感がドイツにはある。

（2020年4月6日記）

なすだ・じゅん　1995年よりベルリン在住。『ペーターという名のオオカミ』（小峰書店）で第51回産経児童出版文化賞、第20回坪田譲治文学賞を受賞。

現地レポート

コロナ禍の向こうに見えるフランス社会変化の兆し

フリージャーナリスト／フランス在住　羽生のり子

マスク不足と国の嘘

フランスで3月17日から外出禁止になってから3週間が過ぎた。多くの人が自宅でテレワークをしている。しかし、医療従事者や生活必需品を扱う人たちは休めない。いつからか、感染する危険を冒して仕事を続ける医療従事者、介護職、スーパーのレジ係、宅配人、ゴミ収集人などを「日常のヒーロー」と呼ぶようになった。夜8時、仕事帰りの医療従事者を迎える拍手と歓声があちこちから上がる。シンガーソングライターたちは日常のヒーローに感謝する歌を作り、YouTubeで披露している。仕事の後、家に戻る時間が少なくて済むように、病院近くにアパートを持っている人たちが、病院勤務者に無料で貸し始めた。病院勤務者に朝コーヒーとクロワッサンを無料で提供するパン屋もある。自分でできることで感謝の気持ちを表わす市民たちが「あなたたちはヒーローだ」という時、同じ人間としての目線が感じられる。

けれども為政者が彼らを「ヒーロー」と呼ぶとき、国の戦略ミスのせいで無駄死にした兵士たちを「英雄」として祀ることに似たうさん臭さがある。「日常のヒーロー」はマスクがないことの不安を訴える。彼らが感染したら、マスク不足の犠牲者と言えるだろう。日刊紙「ルモンド」によれば、低賃金で働く日常のヒーローの多くが、フランスで一番貧しい県で、筆者も住人であるセーヌ・サン・ドニ県に住んでいるという。あるとき、アパートの郵便受けにチラシが入っていた。「あなた方はヒーローだ」という大統領の前で「ベッド数と人員の削減はやめろ」という垂れ幕を持った人たちがいる。その下には「スーパーヒーロー……でもいつもひどい低賃金！」と書いた枠の中に介護人、パートのレジ係、看護師の給料額が書いてあった。その一人、サン・ドニ市のスーパーで30年働いていた女性が3月末に亡くなった。コロナで死亡した初のスーパーの従業員だった。

庶民の怒りは、政府が嘘をついていることに向けられている。1月末、保健大臣は「マスクは一般に配るほどある」と言っていた。ところが実際は、医療従事者用マスクは在庫ゼロだった。政府は慌てて中国から輸入し始めたが、1ヵ月経っても必要量の10分の1も集まらなかった。3月21日に後任の保健大臣が医療従事者用マスクが在庫ゼロだったことを公に認めたが、その4日前まで、政府報道官は「医療従事者用以外のマスクは感染予防に効果がない」と、それまでの言い分を繰り返していた。3月末から4月1日にかけて行われた世論調査ではフランス人の7割が「政府は本当のことを隠している」と答えている。足りないマスクを一般人に買われないように、政府がマスク不要論を繰り返していたことを、独立系メディア「メディアパルト」が4月2日の調査報道記事で暴露したが、その前からフランス人はエリートたちの嘘に薄々気付いていたのだ。

マスク不足の根本の原因は、予算削減のために、前政権が在庫維持は不要として国でマスクを管理するのをやめたことにある。ベルギーでも同じことが起きた。２０１７～２０１８年にゴムが伸びたマスク６０００万枚を破棄した後、節約して補充していなかったことがわかった。

マスク争奪戦とグローバリゼーションの弊害

4月6日の「ルモンド」に、イスラエルの歴史学者ユヴァル・ノア・ハラリがコロナウイルスについての論考を投稿した。論考は以下の文章で終わっている。「この疫病が人々を分断させ、他人への警戒を強めるよう作用するなら、ウイルスが大勝利することになる。逆に疫病をきっかけにより密接な協力関係を世界規模で築くことができるなら、私たちは新型コロナウイルスだけでなく、今後出てくるすべての病気にも勝つだろう」

協力などそっちのけで、各国がエゴを剥き出しにした極端な例がマスク争奪戦だ。どこの国でもマスクが足りないので、中国に発注する。完全に売り手市場で、前金制は通用せず、注文時に全額を払わないと他の国にとられてしまう。海賊のような横取り作戦が欧州連合（ＥＵ）内で行われている。しかし、届いたマスクには欠陥品も多かった。

マクロン大統領は3月31日、わざわざマスク工場に出向いて、国内生産を増やし、マスク自給率を１００％にすると宣言した。国内にはマスク工場が４ヵ所しか残っていない。人件費の安い国に工場を移転して国内生産をおろそかにした新自由主義の負の面が、コロナではっきり表に出た。

コロナ危機が新自由主義的グローバリゼーションと結びついていることを指摘する人は多い。

「ガンと闘う全国リーグ」のアクセル・カーン会長は、４月６日の日刊紙「ル・パリジャン」で、「特許が切れた後の後発抗がん剤のほとんどは中国とインドが戦略的に安く製造している」と言い、医薬品を特定の国に牛耳られないよう、値段が上がってもフランスかヨーロッパで製造すべきだと説いた。そしてこれからは保健を政治の最優先事項の一つにすべきだと主張した。筆者も同感だ。同時に、看護師や老人ホームの介護人の賃金を上げ、社会的により高い立場に引き上げることも必要だと思う。

コロナ以降は地産地消で

外国に移転した基本的な産業を自国に戻すこと（リロカリゼーション）が「コロナ以後」で必要になると主張する人たちは、食糧自給、地産地消、地域の連帯も視野に入れている。リロカリゼーションや国産品の重視は極右の主張と通じるように見えるが、極右は国の枠にこだわり、外国人を排除する点が違う。

農家は外出禁止でもスーパーや食品店に出荷できるので問題ないはずだが、人手不足に陥った。外国人季節労働者がいなくなったからだ。そこで農業大臣が自宅待機の人たちに「畑で手伝おう」と呼びかけたところ、15万人が応じた。しかし、「外出禁止なのに出ろというのは矛盾している」「長時間労働や安い報酬なら搾取になりかねない」と首をひねる人も多い。

マスクをつけて、有機野菜の配布準備を進めるアマップのスタッフたち

スーパーに卸さない農家は、朝市が禁止されたので、農産物宅配システムに加入したり、地域の農家と一緒にドライブで販売したりしてしのいでいる。

そんななかで、販路を気にせず生産しているのが、地産地消で野菜をグループ購入するNPO「アマップ（AMAP）」と契約している有機農家だ。アマップは日本の提携運動をモデルに2001年に設立され、フランス全土に2000団体ある。会員がボランティアで配布するので店ではないが、農業省から外出禁止中でも配布できる許可が出た。マスクと手袋をして野菜を扱うなどのコロナ対策を取り入れ、会員と接触しないようにして活動を続けている（写真）。会員には、コロナ危機の時こそ地元の農家を支援するのだという気概がある。アマップ農家は小規模なので季節労働者を雇っていない。また、天候不順など不測の事態で配布できなくなっても、会員は代償を求めない。顔の見える信頼関係があるからこそ、危機に強い。

生態系の保護が人類を疫病から救う

フランス国営テレビのインタビューで「人間が生態系を破壊したので、野生動物が家畜や人間と接触するようになり、新型コロナウイルスのような疫病が出てきた」と言うのは、生態学者のセルジュ・モランだ。例えば1998年にニパウイルス感染症がマレーシアで出たのは、パーム油の原料となるアブラヤシを栽培するために森林を伐採したからだという。住処を追われたコウモリを宿主にしていたウイルスが豚にうつり、そこから人が感染した。これはほんの一例だ。人間が健康でいるためには、生態系を崩さないようにしなければならない。具体的には、野生動物の密猟と違法取引を禁止すること、大豆やアブラヤシ栽培などのために森林を伐採するのをやめること、集約畜産をやめることだ。集約的な方法で飼育される家畜は新型ウイルスに感染しやすい。農薬と化学肥料の使用、耕作のし過ぎで土壌が痩せて微生物が生きにくくなっているのも、生態系を悪化させている。集約畜産だけでなく過度な集約農業もさけるべきだ。

パリのヴィルホ・ヴィレルメ公衆衛生センターのアンヌリーズ・ドゥプーは、「気候が大きく変動するとマラリヤなどの感染症が広がりやすくなる。公衆衛生のためには地球温室化の問題を考える必要がある」と言う。

気候学者のジャン・ジュゼルは、「気候変動を抑えるためには食べ物の輸送を抑えるべき。ＥＵ圏内の食品輸送でかなりの二酸化炭素が出る」と説明する。

神経精神医学者のボリス・シリュルニクは3月27日の「ル・パリジャン」のインタビューで、「疫病の後は社会的、文化的に大変化が起きる」と言い、コロナ後の世界は変わるだろうと予想している。その例として、ヨーロッパで２人に１人が死んだ１３４８年の黒死病後のフランスを挙げた。それ以前、農民は領主の持ち物で、領主は土地を売るとき、領地に住んでいた農民も一緒に売ったが、黒死病で多くの農民が死んだ後、農民が賃金を要求するようになったので、農奴制は消滅したという。

コロナ後は経済が回復して発展しなければならない、と経済大臣は言うが、前の経済パターンに戻れば、気候変動対策は進まず、同じような疫病を誘発する素地を作ることになるだろう。コロナ以降、14世紀のフランスのように社会変革が起きることを願ってやまない。

（２０２０年４月６日記）

はにゅう・のりこ　1991年よりフランス在住。環境、農業、美術、文化、フランス社会について執筆。

「病気はまだ、継続中です」

分割／連帯を生み出すために

明治学院大学教授／文化人類学　猪瀬浩平

匿名化される身体と経験

新型コロナウイルス感染拡大のなかで、世間で語られる言葉に、自分自身が語る言葉に対してずっと違和感があった。それが何なのか言葉にできなかったのだが3月中旬のある日、知り合いの畑にジャガイモ植え付けを手伝って帰ってきた。畑から車にのって、私よりも三十歳年上で、海外経験の長いその人の若い頃の話を聞きながら帰った。渋滞のおかげで、話をじっくり聞くことができたが、コロナウイルスの話はしなかった。家について、晩飯を食べながら、私は感染拡大の不安が高まるなかで忘れていたことに気づいた。

個人の経験は、今日の前におきていることだけではなく、この世界の歴史と様々な固有名に結びついている。

コロナウイルスによって、私の体調はたとえ健康であったとしても、なかったとしても、この世界的な「非常事態」に紐づけられて、私個人の経験ではなくなる。もしコロナウイルスに感染したとしたら、私は匿名化され、しかしその行動履歴だけは遠慮もなくトレースされて世間にさらされる。

コロナウイルスで亡くなった人も、ただコロナウイルスに感染して亡くなったと、それに紐づけられる来歴だけが語られ、その人がどういう人柄だったのか、どういう人生を送ってきたのか、想像する手掛かりは与えられない。

私は、そのことを恐れている。私の身体も、私の経験も、今は私のものではないように感じている。

であるのだとしたら、今必要なのは、私の身体を、私の経験を如何に取り戻すのかということであり、他者の身体を、他者の経験を如何に生々しく感じることなのだ。

「パンデミック」や、「緊急事態宣言」「ロックダウン」「大暴落／恐慌」「オリンピックの延期や中止」という大きな言葉ではない。もちろんそういった言葉によって私たちが管理され、なにものかを奪われているなかで、しかし個人的なこと、些細なこと、間抜けなこと、かけがえのないことを自分にも、他者にも大切にできるのかが問われている。

自宅待機できない側に立つ

3月18日、愛知県の男性が入院先の医療機関で亡くなった。男性は、3月4日にPCR検査で陽性と判定されていた。愛知県は自宅待機の指導を行ったが、男性はその日の夜に、自分の暮らす街の飲食店を訪れ、「ウイルスをばらまいてやる」と話した。飲食店は営業自粛を余儀なくされ、また従業員にも感染者が出た。テレビやインターネットでは、「他人に迷惑をかける」その人の行動に強い非難の声があがった。

報道される情報に基づけば、彼は自業自得と断罪されて当然とも考えられる。しかし、もともと重い持病を持っていた彼が、なぜ自宅待機の要請を無視して、それでも飲食店に行こうとしたのか、私はその理由が気になる。というのは、私の周りにいる人たち――障害のある人も、ない人もいる――のことを想像しても、自宅待機の指導を受けたとしても、それだけで自宅に留まれる人ばかりではないと思うからだ。

3月30日の小池百合子都知事の会見では、若者に対してはカラオケやライブハウス、中高年についてはバーやナイトクラブに行くのを控えることが呼びかけられた。客となる個人の自粛を求め、店を開けざるを得ない側の休業補償がなされていない問題については、その重要性を確認したうえでひとまず置こう。

私がここで考えたいのは、自粛要請されたとして、それらの場所に行ってしまう人のことだ。たとえば家族の介護を一人で続けている人が、それを電話で打ち明ける友人がいない、あるいはSNSに書き込む方法をもっていなければ、その人は話を聞いてくれる人のところに行く。それはパブやスナックではなく、集会所やお隣さんかもしれない。コロナウイルスの感染力は、そうやって人と人とが会い、語り合うことをさせなくする。そして、自宅に人びとを閉じ込めさせる。自宅は決して安全な場所ではない。家族の成員のストレスは増え、DVの被害も増える。そうやって人びとを孤立させ、そして自宅や家庭という狭い空間のなかで、一人ひとりがむき出しのまま向きあわされる状況がつくられる。

自宅待機を守らずに外出した男性を批判し、断罪するのは容易だ。しかし、それだけでは、今、本当に何が失われているのかに目を背けることになる。匿名の「無責任な人間」ではなく、固有名を持った一人の存在として、彼を感知すること。それが、実はコロナウイルスが奪うことに対する抗いなのだと思う。

「私だけの死」という経験

『100日後に死ぬワニ』という漫画がSNSを通じて毎日公開されて話題になった。作者の Twitter で最初に公開されたのは2019年の12月12日（「死まであと99日」）、最終回が公開されたのは3月20日。のちにCOVID-19と名付けられる、原因不明の肺炎の患者が中国の武漢で初めて報告されたのが2019年の12月8日。翌月の2020年1月9日に、新型コロナウイルス感染が確認された最初の死者が出た。1月13日はバンコクの空港で、中国国外ではじめての感染者が確認され、1月16日には日本でも確認された。『100日後に死ぬワニ』の100日目が公開された、3月20日には世界全体の感染者数は24万人を超え、死者数は1万人に達しようとしている。この文章を書いている時点（2020年4月1日の感染者数が最新）で、感染者は80万人、死者は4万人をそれぞれ超えている（注1）。ワニが死に向かって生きていくなかで、コロナウイルスの感染者や死者は増えていった。『100日後に死ぬワニ』をフォローし、そしてワニの死や、死に向かって生きていく姿に涙を流した人も、○○日後に死ぬヒトである。私も○○日後に必ず死ぬ。その理由は、もしかしたらCOVID-19かもしれないし、そうではないかもしれない。理由は何かわからないが、私は必ず死ぬ。誰かのものではなく、私だけの経験として死ぬ。ワニというキャラクターの死という形でオブラートに包まれているが、透かし見えるのは私だけの死である。

分割することで成り立つ共同性

死が私だけの経験であるということは、しかし「私だけの死」に向かっていくもの同士の連帯を生む。

上野俊哉は、きだみのるの部落をめぐる議論をてがかりに、「分割」によってひとはつながっていると書く。分割 partage とは、たとえばきだが『気違い部落周游紀行』に書く「山分け」にあらわれる。部落では、たとえば部落の共有林でとれた収穫物を山分けで分け合うが、それはいつも部落「全員」ではないかもしれないし、厳密に量的にみて「平等」であるわけではない。そもそも「全員」とか、「平等」とかが不可能ということを認めたなかで——そもそも、同じ量で分けたところで、本当に平等といえるのかどうかは、各世帯に平等に2枚の布マスクを配るということの納得のいかなさを思えば想像できるだろう——しかしその「山分け」を行う瞬間において、「みなが平等」に分けたという情動をもつ。そういう情動をもつ基盤として、部落は存在する。

上野の言葉を引用しよう。

> ひとは自分の死を死ぬことはできない。知っているのはいつも他者の死ばかりだ。絶対に自分が到達できないこの特異な（代わりのない）出来事こそが、「実存」という把握を可能にし、人間を「人間なるもの」にし、集団を共同体や社会として立ち上げる。言いかえると、絶対に分かち合えない亀裂、共有しようともできない何か、自分でしか受けとれない出来事をさらに分割する／分かちもつことによって、かろうじて共同体／共同性は成り立っている。これは一緒に働くことでも、互いにもっているものを平等に分け合うことですらない。ただ絶対に分かち合えないもの、つまり「分割」によってひとはつながっている。（上野、２０１３：２０３）

親族の経験をかろうじて分かちもつ

上野の言葉を、私なりに分解する。

4月1日、祖母の世話が必要になって、母と共に病院に出かけた。感染リスクを極力さけようと、電車は使わず、車で向かった。道すがら、祖母が私にかつて話してくれた曾祖父の話をした。

岩手の盛岡出身の曾祖父は、若い頃に東京に出てきてやがて技師になった。戦中は国内各地や、大陸にも事業を展開していた。曽祖父には妹がおり、それが唯一の肉親だったそうだが、彼女はスペイン風邪で若くして亡くなった。彼の従兄に富田砕花という詩人がいた。祖母が知る限り、曽祖父にとって唯一の存命中の親族は富田砕花だけだった。富田砕花旧居が芦屋にあって、私は大学1年生の頃（1997年）に祖母と尋ねた。富田にゆかりのある方が住んでいて、祖母は自分と富田とのかかわりを語った。私はそこで、曽祖父がスペイン風邪で身内を失ったことを知った。

それがパンデミックということを、私が身近に感じる唯一の話だった。スペイン風邪の流行のなかで生き残った曽祖父の末裔の一人として、私は今生きている。

祖母は私に様々なことを語ってくれる。しかし母にはあまり多くのことを語っておらず、だから曽祖父の妹の話を母は知らなかった。私は曽祖父と会ったことはなく――曽祖母にはかわいがってもらったが――、ただ敗戦によって彼が虚脱状態になり、やがて認知症になったという話や、敗戦前に大陸での事業にかけて一家で移住しようとするのを、曽祖母が必死に止めたという話を祖母に何度も聞かされた。そして、曽祖父の代わりに大陸に渡った人が、その後大変な目になったということを聞いた。それがどういうことなのかを、聞いたことはない。祖母自身も知らないのかもしれない。

曽祖父と妹、祖母、母、私はそれぞれに分割されながら、しかし、自分でしかうけとれない出来事を分かちもつことによって、かろうじて親族という〈共同性〉は成り立つ。

災厄は継続中である

新型コロナウイルスの感染が拡大するなかで、私は夏目漱石の『硝子戸の中』を読み直した（注2）。

1910年に修善寺で転地療養中に生死の境をさまよってから、漱石は毎年胃腸病に苦しめられていた。漱石はあるときから、自分の病気を癒ったとも、どうにかこうにか生きているともいわず、「病気は継続中です」と語るようになった。その「継続」の意味を説明するために、欧州の大戦を引き合いに出した。

「私は丁度独乙が聯合軍と戦争をしているように、病気と戦争をしているのです。今こうやって貴方と対坐していられるのは、天下が太平になったからではないので、塹壕の中に這入って、病気と睨めっくらをしているからです。私の身体は乱世です。何時どんな変が起こらないとも限りません」

漱石はそう語りながら、その話を聞く客のなかにも、自分たちさえ気の付かない、継続中のものがいくらでも潜んでいるのではないか、そしてその夢の間に製造した爆裂弾を、思い思いに抱きながら、一人残らず、死という遠い所へ、談笑しつつ歩いているのではないかと書く（夏目、1990：85－87）。

＊

私たちの目の前に迫った病も、パンデミックも、そこから生まれる恐怖も、継続中である。未曽有の災厄ではない。かつてあった災厄は継続している。

今、潜んでいたものが表に出てきて、私は死んでしまった人と出会いなおす。曽祖父や、その妹のことを、これまでよりもリアルに想像できるようになっている。潜んでいたものが表に出てきて、生きている人と出会いなおす。病院にいっても、コロナウイルスの感染防止のため面会は禁止されていたが、私は祖母の存在を行く前よりも強く感じるようになったし、そして半日一緒にいて今ある様々な不安を語り合うことで、母の存在をあらためて強く感じた。

それは、有限の時を生きる私にとって、普通に語られる意味とは大きく異なるが、それでもこの、「夢の間に製造した爆裂弾」が露わになった状況を生きていくための、本源的な共同性であり、連帯ではないかと私は考えている。

「感染者」や「コロナウイルスによる死者」という匿名の存在としてひとくくりにくくられるのではない、継続中の災厄に対峙するもの——そこには死者もいれば、これから生まれてくるものもいるだろう——が、それぞれの経験を分割するなかでうまれる、共同性であり、連帯である。

（2020年4月4日記）

いのせ・こうへい　専門は文化人類学、ボランティア学。見沼田んぼ福祉農園事務局長。著書『むらと原発』（農文協）、『分解者たち』（生活書院）など。

【参考文献】

上野俊哉（2013）『思想の不良たち——1950年代　もう一つの精神史』岩波書店
夏目漱石（1990）『硝子戸の中』岩波書店

（注1）３月20日、および４月１日の数字は日本経済新聞社「新型コロナウイルス感染世界マップ https：//vdata.nikkei.com/newsgraphics/coronavirus-world-map/2020を参照（２０２０年４月２日確認）。
（注2）この本は、１９１５（大正４）年の１月13日〜２月23日まで『東京朝日新聞』『大阪朝日新聞』で行った連載をもとにする。

V

パンデミック後の社会に希望をみる

新型コロナ禍は行き過ぎたグローバル資本主義への警告

経済アナリスト　森永卓郎

新型コロナウイルスが猛威を振るっている。武漢で発生した新型コロナウイルスが、初めて世界に知らされたのは2019年12月30日のことだった。それからわずか3ヵ月あまりで世界の感染者数が百万人を超える事態に陥り、世界各地で外出禁止令が敷かれるなど戦後一度も経験していない苦境に追い込まれている。

ただ、一歩引いてみると、私には、今回のコロナウイルスの感染拡大が引き起こした惨禍は、行き過ぎたグローバル資本主義への警告ではないかと思えるのだ。

グルーバル化の行き過ぎがコロナ禍を拡大した

1989年のベルリンの壁の崩壊以降、世界中がグローバル資本主義に向かって邁進した。その結果、所得格差が爆発的に拡大し、地球環境が破壊されていったが、新型コロナウイルスがもたらした惨禍も、グローバル資本主義がなければ、これほどひどいことにならなかったと思われる。

第一の理由は、国際間移動の爆発的な拡大だ。例えば、中国人海外旅行者数は2005年には3000万人程度だった。それが2018年には1億5000万人と、5倍に増えている。もし中国からの出国者が、グローバル資本主義が広がる前と同じ程度だったら、こんなに急速な感染拡大はなかっただろうし、新型コロナが武漢の風土病で終わっていた可能性さえあるのだと思う。

第二の理由は、サプライチェーンの問題だ。グローバル資本主義の大原則は、世界で最もコストの安いところから部材を大量調達することだ。しかし、それが思わぬ障害をもたらした。中国製の部品が調達できずに国内自動車工場がストップしたのを皮切りに、電動アシスト自転車などの製造が部品不足で困難になり、最近では中国製のシステムキッチンやトイレが調達できずに工務店が顧客に建築した住宅を引き渡せない事態も生じている。国民を悩ませているマスク不足の問題も、生産の8割近くを、中国を中心とする海外に依存してきたことが原因だ。

新型コロナがなくてもバブルははじけていた

第三の理由は、バブルの崩壊だ。ニューヨークダウは2月12日の2万9551ドルをピークに3割ほど下がった。世界の株式市場も同様の動きを見せている。多くの人が、これは新型コロナの影響だと考えているが、本質はそうではない。例えば、ノーベル経済学賞を受賞したシラー教授が開発したシラーPERという株価の割高指標がある。この指標が25倍を超える状態が一定期間続くと、バブルが崩壊する。ITバブルの時は79ヵ月、リーマン・ショック前のバブルのときは52ヵ月でバブルが崩壊した。そして今回は69ヵ月だった。つまり、新型コロナが発生しなくても、株価の暴落は生じたのだ。新型コロナはバブル崩壊のきっかけを作り、そして今後、崩壊後の谷をさらに深くしていく効果を持つのだ。

バブルの発生と崩壊は資本主義の宿命だ。17世紀のオランダでチューリップバブルが発生して以降、世界は大きなものだけで70回以上のバブルを経験してきた。なぜバブルが生じるのかというと、人々が働いて稼ぐのではなく、カネにカネを稼がせようとするからだ。バブルの対象が値上がりし、儲かる人が出ると、それをみて買う人が増えるから、本来の価格を上回って、さらに値上がりする。その仕組みは富裕層にとてつもない富をもたらす。いまや、世界の富裕層で、働いている人はほとんどいない。そのバブルを新型コロナは、破壊したのだ。

暴落は、株にとどまらず、原油、仮想通貨、低格付けの債券など、あらゆる金融商品に広がっている。来年には都心の商業地も暴落に見舞われるだろう。富裕層の多くが、借金を利用して投資をしているので、彼らの多くが今後、破産者になっていく。投資商品は値下がりしても、借金は値下がりしないからだ。ただ、金融所得で暮らしている富裕層が破産するだけでは済まない。お金の世界はつながっているから、バブルの崩壊は、庶民の暮らしを巻き込んでいくのだ。

大都市一極集中の弊害

そして、私が最も強調しておきたい第四の理由は、大都市一極集中だ。金融資本主義は、大都市集中をもたらす。株式投資のような金融取引はネットを通じてできるから、一見地方分散が可能のようにみえるが、実態はそうではない。世界には無数の都市があるが、金融センターと呼ばれるのは、ニューヨークやロンドン、東京など、両手で数えられるほどしかない。そこに人口が集中していくのだ。実際、東京圏への転入超過は、もう24年も続いている。新型コロナウイルスは、そうした大都市を直撃したのだ。

4月4日現在、新型コロナの全国の感染者が全国で2935人に対し、東京都の感染者数は690人と、4分の1を占めている。政府の専門家会議は、東京や大阪といった感染拡大警戒地域では、イベントの中止や外出の自粛を求め、医療機関のひっ迫といった市民生活を脅かす事態が生じている。しかも人口密集地域での感染拡大は早い。ニューヨーク州で、3月1日にイランへの渡航歴がある人の感染が最初に確認されたが、それから1ヵ月あまり経った4月4日には、感染者が10万人を超えた。それと比べれば、東京の感染者数は圧倒的に少ないが、日本はPCR検査を極端に抑制しているので、実際の感染者数はずっと多いという見方をする感染症の専門家も複数いる。彼らは、実際の感染者が表面的な感染者より二桁多いと言うのだ。こうした見方は、極論とは言い切れない。在日米国大使館も4月3日に、「日本政府は検査を幅広く実施しない方針をとっており、感染率を正確に評価することが難しい」として、帰国希望者や一時滞在者に対して即時の帰国を促した。

「大規模・集中」から「小規模・分散」への転換

世界はいま新型コロナウイルスに怯えているが、感染が終息しても、それで終わりではない。ウイルスが突然変異したり、まったく新しいウイルスが登場すれば、また同じことが繰り返されるのだ。そうした事態に我々は、どう対処したらよいのだろうか。

私は、グローバル資本主義と距離を置くことだと思っている。キーワードは、グローバル資本主義の基本理念である「大規模・集中」を捨て、「小規模・分散」に転換することだ。

これまでなぜ東京一極集中が進んできたのかと言えば、農林業の市場開放によって木材や農産物の価格が下落し、農業だけで生活できなくなったからであり、工場が海外移転して、地方での雇用の場が失われてきたからだ。社会保険料や電気代など、現代生活では、ある程度の現金収入が毎月必要だが、農業だけではそれが賄えなくなってきたのだ。

そのため政府がとってきた政策が、担い手に農地を集約し、農業基盤整備をすることで、農家の所得を高めることだった。そうすれば、農業だけで生活できるだろうというのだ。しかし、それだけでは国土が荒廃する。これまでの日本の小規模農業は、里山との共存の下で行われてきた。山に入ってさまざまな恵みを得るとともに、間伐をして、炭を焼いて燃料にするとともに、木材で現金収入を得てきた。そのことが、日本の山を守り、環境を守ってきたのだ。

一方、利益を目的とした大規模農業では、国民の健康が守れる保証がない。現にアメリカでは、非選択性の除草剤を散布して、その除草剤に耐性のある作物を遺伝子組み換えで作り出して、育てている。そんな食料が安全であるはずがない。しかし、多くの国民が知らず知らずのうちに食料の輸入によって、そうした食料を食べている。日本の大規模農家は、そんなことはしていないと私は信じているが、資本主義の農業を進めれば、そうならない保証はないのだ。

兼業農家と連携し、マイクロ農業で皆農を

消費者もすべきことがある。それは、インド建国の父、マハトマガンディが唱えた「近隣の原理」だ。近くの人が作った食べ物を食べ、近くの人が作った服を着て、近くの大工さんが作った家に住むのだ。そうした小さな経済の輪が、グローバル資本主義からの防御壁となる。

ただ、資本主義を完全否定することは、現実問題と

して難しい。私は、現実的な解決策は、これまで日本で普通に行われてきた「兼業農家」を守ることであり、さらにそれを進めて、多くの国民が「自分の食べ物は自分で作る」というマイクロ農業の普及を進めることだと思う。いま、資本主義での生活に疲弊した若者が、地方移住を決断する機運が高まっており、実際に移住した若者もたくさんいる。彼らが目指すのは、田舎らしい田舎だ。そして彼らは、自分の食べる物は自分で作ることを実践するとともに、必要な現金収入については、起業したり、近隣の企業で働くなど、さまざまな形で獲得している。ただ、田舎暮らしは、ユートピアではない。現金収入を得るための生業のほかに、共同体を支えるために分担しなければならない仕事がたくさんあるからだ。

実は、私は30年以上前から都心から一時間半もかかる都会と田舎の中間に存在するトカイナカで生活している。そこから都心に出稼ぎに出ているのだ。田舎暮らしをする覚悟のない人は、それでもよいのではないかと思う。東京と比べれば、自然も豊かで、人の密集もはるかに少ない。近隣の農家が作った農産物を直接買うこともできるし、一昨年からは、畑を借りて、自分自身で野菜作りも始めている。

確かに東京と比べたら、文化的な刺激は少ない。ミシュランガイドに載るおしゃれなレストランもないし、高級ブランド品を売る店もない。ただ、そうしたところには、必要なら都心に出かけたときに行けばよい。それよりも、鳥のさえずりを聞き、街に咲き乱れる花を愛で、きれいな空気で思い切り深呼吸する。その方がずっと幸せだ。都心では、自粛で外出できない人たちが、時間をつぶすためのゲームなどが売れているという。農作業をしていると、体も鍛えられるし、何より作物を育てるのは、楽しい。彼らは、手をかけてやればやるほど、大きな実りをもたらすからだ。

そうした暮らしができる地域を、国内に無数に作っていくことが必要なのではないか。新型コロナウイルスが投げかけた課題は、経済の仕組みと我々のライフスタイルを大転換することなのだと思う。

（２０２０年４月４日記）

もりなが・たくろう　獨協大学経済学部教授。『年収３００万円時代を生き抜く経済学』（光文社、新版・知恵の森文庫）、『なぜ日本だけが成長できないのか』（角川新書）ほか著書多数。

逆転した産業ピラミッドを正し、第1次産業を基本とした自然共生社会へ

グローバルから「グローカル」への構造変革

國學院大學客員教授／環境社会経済学　古沢広祐

根底が揺らぐ現代世界

ＣＯＶＩＤ-19（新型コロナウイルス感染症）のパンデミック（爆発的拡大）が進行中である。すでに多くの方が語り始めているように、このパンデミック後の世界は大きくその姿を変えることが予想される。ウイルスという存在は、地球生命系の進化史上で不可思議かつ奥深い働きを秘めており、多様な視点が重要なのだが、本稿では当面の現実的な視点から、パンデミック後の世界のあり方について考えたい。

今後に、何がどう変わるかは現時点では見出しがたいが、大まかには、悪循環的破局、現状維持、抜本的変革などのシナリオが想定される。実際に現れる世界は、それらのまだら模様とともに悪循環への連鎖が懸念される。

類推として、2011年東日本大震災後の動向が参考になる。3・11を契機に、原発政策や開発政策（一極集中・巨大開発）、生活意識・価値観（幸せ・大切な事柄）の根底が大きく揺らいだ。その後の変革状況を見るかぎり（今も進行中だが）、日本では原発や開発政策では逆戻り（現状維持）傾向がみえ、価値観レベルでは現状維持と行動変化の両方が並行的に進んでいるかにみえる。それは、一方では都心での高層タワーマンションの乱立状況として、他方では若い世代

などの一部地方回帰・移住というような分極化現象において現れている。

今回のパンデミックは、予想をこえる世界大の深刻な事態を生じており、社会や経済の根底を揺るがす激震状況が進行中である。想定をこえる事態には、対症療法をこえた革新的かつ根源的な対応策を考える必要がある。緊急対策としての行動自粛、雇用支援、資金融資、消費の喚起策などの通常の対処法で乗り切れるかどうか、おそらくは、より根本的な制度対応や社会変革を視野に入れざるをえないだろう。危機の時こそ、その社会がはらむ弱点や矛盾がくっきりと映し出される。矛盾を糊塗するか、変革のチャンスにできるかが、まさに問われている。

パンデミックの猛威

この感染症は、現代のグローバル社会にまさしく適合（フィット）して直撃し、猛威をふるっている。それは、急拡大するグローバリゼーションへの警鐘であり、世界の発展のあり方への質的転換ないし構造変革を迫る出来事だと思われる。しかし、今回の災禍についても冒頭のシナリオでの現状維持（一過性の出来事）に落ち着く可能性もある。これまでも危機の歴史は何度も繰り返されてきたからである。近年でも、警鐘的な大事件は続発してきた。9・11同時多発テロ（2001年）、9・15リーマンショック（世界金融危機、2008年）、3・11東日本大震災と原発事故（2011年）、そして現在進行中の新型コロナ感染症パンデミックと続いている。

それぞれの出来事は、その背景や性格は異なるものの現代の発展様式に深く関係した事件である。世界を震撼させている今回のパンデミックは、人間が支配し改変（環境破壊）し続けてきた自然の側からの反撃とでも言える事態ととらえられる。人間中心主義それも経済的利益や効率中心に都市を爆発的に拡大させ、交通網を広げて大繁栄をとげてきた現代世界、その大きな落とし穴を目の当たりにさせたのだった。このような人類の大繁栄に対する警鐘は、すでに幾つも鳴らされており、近年のものでは「人類滅亡、12のシナリオ」（オックスフォード大学等による報告書、2015年）や、『人類が絶滅する6のシナリオ』（フレッド・グテル著、夏目大訳、河出書房新社、2013年）などがある。

人類大繁栄の陰には、実に多くの巨大リスクが潜伏している。詳細は省くが、環境要因としては気候変動に並ぶ脅威として、スーパーウイルス（パンデミック）、バイオテロなどの生命・生態系に関わる脅威がかねてから指摘されてきた。諸外国での深刻な事態を見てのとおり、カタストロフィー（破局）的な姿は決して絵空事ではない。パンデミックが人類滅亡に直結するというよりは、経済危機、国家対立、分断・排除と他者攻撃などといった不安増大の悪循環的破局シナリオに陥る懸念は十分ある。

他方、危機を変革の契機とする視点も重要である。各種の緊急対応措置とともに医療、保健、労働、教育、福祉などの諸制度がリスク対応としてどれだけ対処できたか、まずは検証される必要がある。今回に限らず気候変動や各種災害時には、社会的弱者に大きなしわ寄せを生じやすい。たとえばリーマンショック（２００８年）時に顕在化した貧困・格差問題は、今回の災禍でより深刻化する恐れがある。その意味では、国連のＳＤＧｓ（持続可能な開発目標）が基本とする「誰も取り残さない」「一番脆弱な所に手を差し伸べる」ことの真価がまさに問われている。

情報や金融分野への富の蓄積の再分配

パンデミック後に現れる政治体制については、歴史学者のユヴァル・ハラリが指摘するように、中国のような強権的な全体主義（統制）社会に向かうか、民主・市民（自立自治）型社会に向かうかの問いかけがある。民主・市民型と言っても、市場経済的対応（個人主義・ビジネス重視）か社会民主的対応（自治・コミュニティ・連帯重視）かで大きな幅が生じる。とくに経済体制については、各国の対応、諸制度がどう機能したかが問われている。さらに本質的なリスク対応としては、今日の資本主義的な成長型経済への問い直しが必須となるだろう。

端的に言って経済的効率と利益を最優先する活動が、今日の都市集中型の世界を生み、広域の経済圏（グローバル市場競争）を拡大することで、成長・拡大が連鎖的に展開してきた。こうした効率化と規模拡大、成長を優先する一極集中化のなかで起きたことが、まさに巨大リスクという大きな脆弱性を抱え込むことだったのである。

従来のパラダイム（世界認識の枠組み）は、功利主義とすべてを操作可能な対象とする技術至上主義によるユートピア（グローバルテクノトピア）へと向かう流れを生んできた。そこでは、グローバルな世界都市の形成を頂点に周辺地域が序列的に編成されていく（中心─周辺）世界が形成され、その頂点に一握りのテクノ超エリートが君臨する競争格差社会を出現させたのだった。

富を産出する経済活動として経済発展の歴史を見たとき、大きくは自然密着型の第1次産業（自然資本依存型産業）から第2次産業（人工資本・化石資源依存型産業）、そして第3次産業（商業・各種サービス・金融・情報等）へと移行・拡大してきた。富の源泉部分が、第1次、第2次、そして第3次産業へと移行し、近年の金融偏重にまでシフトしてきた。それは今日の大富豪が、情報や金融分野でグローバルに富を蓄積しているように大きな歪みを生み出した（逆ピラミッド構造、図1）。そこでは付加価値部分を上手に吸い上げる仕組みの上に、想像を超えた高所得と巨額の富が蓄積されたのだった。

その点に関しては、今回のコロナ蔓延のグローバルショックにより被った巨額の経済的損失の補償については、各国対応を基本としつつも世界的対応も必要だと考える。具体的には、グローバル経済で築かれ蓄積されてきた富の再分配政策である。すでにT・ピケティ等が提起してきた国際的な資産課税の強化や金融取引税の整備など、グローバル再分配政策としての対応が求められている（グローバル税財政変革）。それはちょうど1930年代の世界恐慌期に打ち出されたニューディール政策のような抜本的な制度変革であり、グローバルリスクへのグローバル対応策が必要とされる時代になったことを意味している。

第1次産業を基本におく自然共生社会と共・公・私の再編を

また戦後経済体制でのリスク対応として創設されたIMF（国際通貨基金）や世界銀行に匹敵する国際機関として、WHO（国際保健機関）の改組やパンデミック連帯基金などを整備すべき時であろう。さらには、近年注目されているベーシックインカム（基本所得補償）なども視野に入れるべき政策パッケージである。コロナショックというグローバル危機の克服のためには、前世紀的な国益中心の対立・分断型の社会か

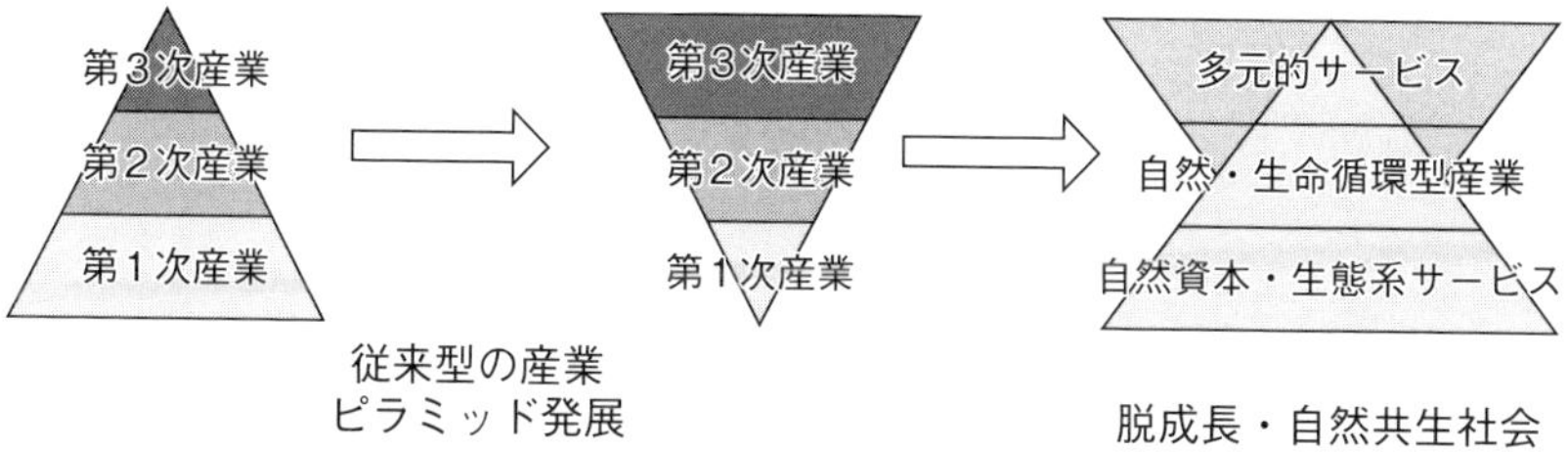

図１　人間・社会経済の推移　出典：古沢広祐『食・農・環境とSDGs』（農文協）57頁

ら脱却し、地域の主体的行動と国際的連携・連帯を両立させる「グローカル」世界の構築こそが望まれる。とくに軍事化という危険な落とし穴を回避して、脱軍事化による平和・連帯社会という未来ビジョン（平和の配当）が希求される。

さらなるパラダイム変革としては、競争一辺倒の経済や一極集中、無限成長・拡大型システムではなく、相互安定型の分権・自立システムへの軌道修正である。それは個人主義的な物的消費による拡大・膨張経済から、適正規模でのコミュニティ経済へ、利己・自己中心から社会配慮・公正や協働的価値の重視へのシフトである。地域のあり方としては、農山漁村が大都市に従属するような関係性を乗りこえていく里山・里海ルネッサンス的な展開方向であり、自立・分権・コミュニティ重視のグローカル社会の形成である。産業構造としては、第1次産業を基本におく多元的価値を実現する自然共生社会である（図1）。

そのためには社会経済システムを根本的に見直す必要があるだろう。その際、経済史的にはK・ポラニーが提示した経済システムの三類型に立ち戻ることが有効である。三つの類型とは、「共」：互酬（贈与関係や

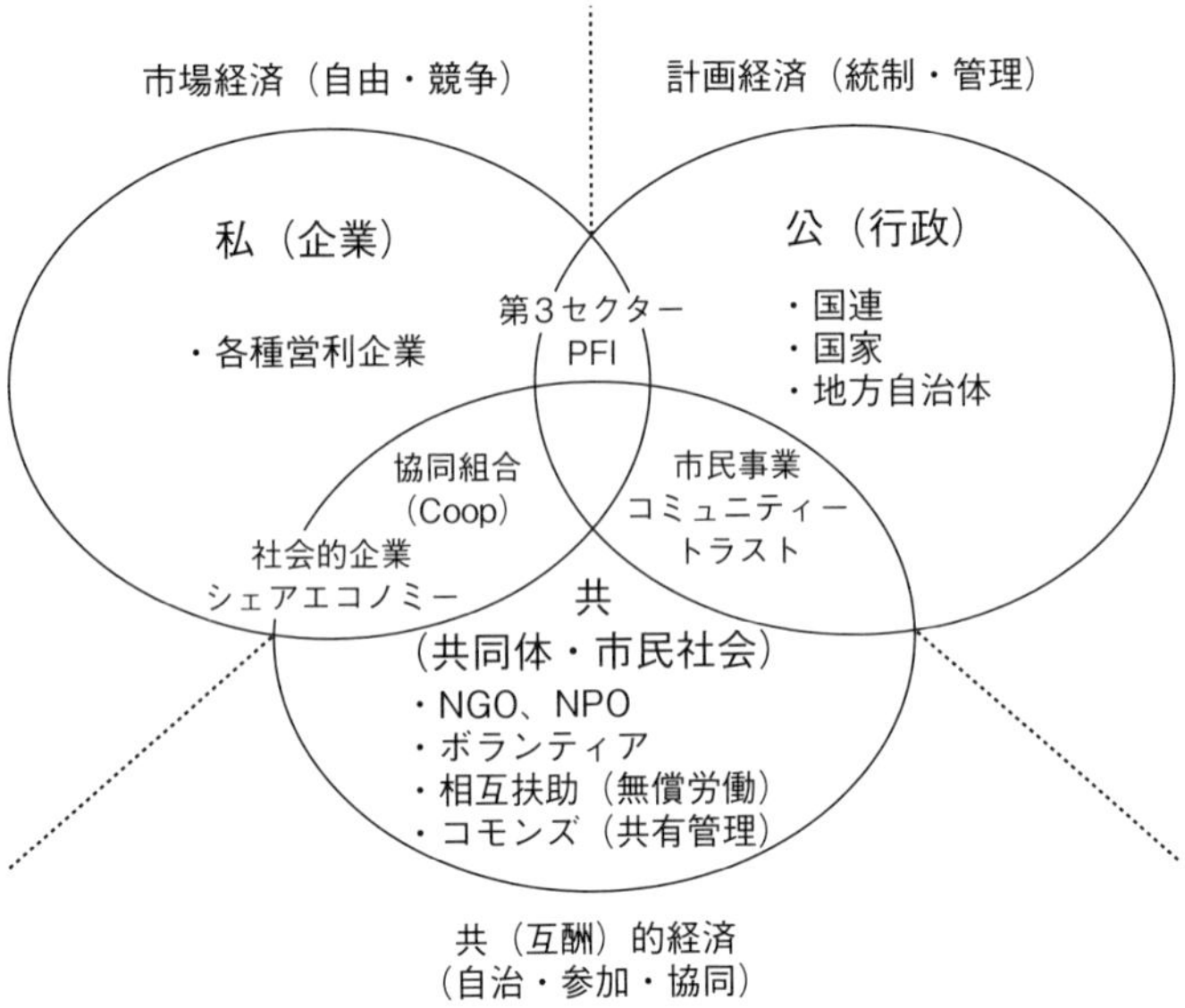

図2　三つの社会経済システム（セクター）

出典：古沢広祐『食・農・環境とSDGs』（農文協）221頁

相互扶助関係）、「公」：再分配（権力を中心とする徴収と分配）、「私」：交換（市場における財の移動・取引）の三類型である。それぞれは歴史・文化的な背景のなかで多様な存在形態をもつ。とくに「私」領域の交換システムが近代の市場経済の世界化（グローバリゼーション）において肥大化し、諸矛盾を拡大してきた。今日のグローバルリスクを変革のチャンスにする未来展望としては、「共」領域の強化による3領域の再編、相互調整・共創的な社会のあり方を構想すべき時を迎えている（図2）。

（2020年4月6日記）

ふるさわ・こうゆう　國學院大學経済学部教授を経て、2020年4月より客員教授。（特活）「環境・持続社会」研究センター（JACSES）代表理事。専門は環境社会経済学、農業経済学、総合人間学、持続可能社会論。著書『食・農・環境とSDGs――持続可能な社会のトータルビジョン』（農文協）など。

新型コロナでわかった田舎暮らしと小農の強さ確かさ

農民・作家　山下惣一

２０２０年は「新型コロナウイルス」なる感染症が世界を恐怖に陥れた年として歴史に残るのではないか。医学がいくら進歩しても病原菌を根絶することはできない。敵は手強く形を変え性格を変えて執拗に迫ってくる。なぜなら、それが彼等（細菌やウイルス）にとって生きることだからだ。

安倍首相が感染防止のために不要不急の外出やイベントなどの自粛を要請したのが2月26日。それ以降はまるで戒厳令下のごとく一切のイベントが中止になり、大相撲もプロ野球のオープン戦も無観客という異常さのなかで行われた。甲子園の春の選抜高校野球大会も中止、九州北部の玄界灘に面した片田舎の私の住む村の周辺でも年度末集会や総会の中止が相次ぎ、私たちの老人会も定例会や総会を中止した。まるで何かの予行演習のような横並び体質の伝染の早さはコロナウイルス並みといったところではないか。

感染はたちまち世界中に拡散してＷＨＯ（世界保健機関）は３月11日これを「パンデミック（世界的流行）」と認定した（朝日新聞）。

同紙によれば世界の感染者が10万人を超えたのが３月７日、18日には20万人を超え、22日には30万人に達し、累計では40万人を超え、死亡者は１万８０００人となった（同３月25日朝刊）。

同日、東京都の小池知事は「感染爆発の重大局面」だとして都民に「外出自粛」を要請した。つまり、現在進行中であり、今後の展開がまったく予測がつかない状況下にある。

地球に巣食う白アリ＝人間への逆襲がはじまった

さて、私は九州北部の玄界灘に面した農家の長男に生まれ、生まれた家からそれこそ1ミリも移動せずに百姓として生きてきた。だから自然界における人間の分際というものは心得ているつもりだ。私の認識によれば所詮人間は地球に巣食う白アリである。私たちがやっている農業は自然破壊の元祖であり白アリの本家みたいなものだ。

周知のように南北に細長い日本列島は急峻な地形で国土の70％近くが山林で森林率は世界のトップクラスだ。もしこの地形がもう少し緩やかな平坦地であったなら、勤勉な国民性を発揮して、それこそ国土の隅々まで耕して緑のない赤茶けた国になっていたはずだ。そう南米大陸みたいにである。

私は南米が大好きで若い頃から十数回は訪ねている。最初に渡ったのは1992年のリオデジャネイロでの「地球サミット」に合わせて開催された世界のNGOの「地球環境会議」をヤジ馬で覗きに行ったことだった。会場にはいろいろなテント小屋（ブース）があり、それぞれに主張をアピールしていた。

アマゾンの先住民のブースには民族衣装のインディオたちが踊ったり歌ったり何かを叫んだりしていた。現地の通訳に日本語に訳してもらったら、彼等はこう主張していたのだ。

「世界中の先進国の連中は、自分たちの森は伐ってしまって、アマゾンの森林を守れという。オレたちの森をどうしようとオレ達の勝手だ」

つまり、先進国の首脳がアマゾンに集まって「熱帯雨林を守れ」ということに抗議しているのだ。私は非常に共感して手が痛くなるほど拍手を送った。そうだ。「文明の前に森林があり、文明の後に砂漠が残る」との箴言があるではないか。

それから南米のファンになり、何回も海を渡った。ある時、アマゾン川の河口の町ベレンからパラグァイへ向かう飛行機に乗り、快晴の昼間南米大陸を上空から初めて眺めた。その時の強烈な印象が「人間は地球の白アリ」だったのだ。極限すれば南米大陸にはアマゾンの森林を除けば森林は皆無なのだ。すべて赤茶けた畑である。

つまり、今回のコロナウイルスのような感染症の発生は、地球がわが身を守るための自浄作用の白アリ駆除といえるのではないか。

都会の快適な環境はウイルスにも最適環境だった

世界を震撼させたパンデミック（世界的大流行）をこの１００年以内で見てみると、まず１９１８年の「スペイン風邪」では世界で５０００万人が死亡し、日本でも大流行し、当時の人口５６００万人の０・８％に当たる45万人が亡くなっている。１９８１年の「エイズ」は20年間で世界の６５００万人が感染して２５００万人以上が死亡した。１９９７年には「鳥インフルエンザ」、２００９年「新型インフルエンザ」、そして今回の「新型コロナウイルス」である。

つまり、常に「新型」だ。旧型は制圧されたということになっているのだろうが、敵も生き残るために必死で抵抗力をつけ性格を変え出番がくるのを待っている。所詮は「いたちごっこ」でゴールはない。

しかも、あたかも人間の生活環境に合わせて変化してきたかのように、人間が快適とする環境がウイルスの繁殖・増大に最適の環境になっているのだ。

それは、①密閉した環境（電車や車）などで長時間移動する、②気密性の高い環境（会社や飲食店）に多くの人が集まって長時間を過ごす、③年中どこでも祭りやイベントをやっている、④職場も家庭も冷暖房完備で冬は暖かく夏は涼しくウイルスの繁殖に適している。

つまり、一方でウイルスや細菌の繁殖に最適の環境を作りながら、他方ではウイルス退治をやろうとしているわけで、例えていえば「水道の蛇口をあけたままで下のバケツの水を汲み出している」ような行為に等しいわけだ。

新型コロナウイルスの感染の拡大は感染症のグローバル化に他ならない。まず、水道の蛇口を止めることが先決だが、そうもいかないところがグローバル化した現代社会の難しさだろう。

身土不二の食生活と小規模家族農業があれば

さて話は変わる。

「身土不二」という四字熟語がある。「しんどふじ」または「しんどふに」と読み、その意味は人間のからだ、すなわち「身」とそれを育てた「土」は「二つではない」つまり一体だという。古い仏典に出てくる言葉である。

私は若い頃から「身土不二」の信奉者で、『身土不二の探究』（創森社、1998年刊）と題する本を書いたほどだから、そこそこ詳しい。

この「身土不二」に加えて「一物全体」「食物配合」「食動平衡」を指針として私は生きてきた。簡単に説明すると、「身土不二」は四里四方で穫れた旬のものを正しく食べる。「一物全体」食物は全体で命だから部分食いではなくなるべく全体を食べること。「一物全体食」ともいう。「食物配合」は読んで字の如く、いろんな食物をバランスよく食べること。「食動平衡」は食べると動くのバランスである。

この「身土不二」の教えに従って食べておけば、まず間違いやトラブルはない。もちろん安全なものを食べていても病気も怪我もするし年を取るといつかは必ず死ぬ。これは変えられない。しかし、そうでない人にくらべてあらゆるリスクは相当に低くなる。自分ができる限りの努力をするのは自らの命に対する最低の仁義である。そして人々の食生活がそうなることによって守られるのが地域の農業である。多様で多彩な小規模な家族農業である。自産自消、地産地消、旬産旬消だ。

国連は「家族農業」重視の姿勢を鮮明にして2014年を「国際家族農業年」さらに2019年からの10年間を「国連家族農業の10年」と定めて、「大規模企業的農業」から「小規模家族農業」へという新しい潮流を示し、加盟各国に対して「小規模家族農業が舞台の中央に立つ」政策への転換を求めている。土台にあるのはSDGs（持続可能な開発目標）であり、「アグロエコロジー」（生態学的農業）へのモデルチェンジである。

これには世界69ヵ国2億5000万人の農民が加入しているとされる世界最大の農民組織「ビア・カンペシーナ」の働きかけが強かったといわれる。スペイン語で「農民の道」という意味だ。

つまり、世界の小規模農民が国連を動かし世界の農業の方向を変えようとしている。

ちなみに世界の現在の状況は、農耕地が15億ヘクタール、農家が5億7000万戸、1農家当たりの平均耕地面積は全体の73％が1ヘクタール未満、2ヘクタール以下では85％。

これら小規模農家が、農地、水、化石燃料の25％の利用で全世界の食料の70％を生産している。対して、先進国の工業型農業は農地、化石燃料の80％、用水の70％を使って食料の30％しか生産していないといわれている。

私の推測だが、1ヘクタール未満の世界の73％の農家ではおそらく自給自足が基本で、産業としてではなく家族の生存のための農業を営んでいるということであろう。日本でいう「百姓」だ。

過疎こそが最大の感染症予防

2020年の3月。テレビの大相撲やプロ野球のオープン戦が無観客という異常な状態で行われていた時期、私はミカンの剪定作業に毎日畑に通っていた。野山に人はいなかったから誰とも出会わなかった。つまり、新型コロナウイルスの感染防止のために人と会うなと政府はいうが、田舎では会いたくても人がいないのだ。

このような状況が人が生きていく上で最適な環境だとはこれまで一度も考えたことはなかった。しかし感染症予防からいえば、過疎は嘆くことではなく喜ぶべき現象なのだ。

そしてほぼ1ヵ月間、どこへも行かず、誰もこない暮らしだったが、何の不自由もいささかの痛痒も感じなかった。

考えてみたら、それだけの食のストックや自給システムがあり、高齢夫婦では欲しい物も必要な物もないということだった。1ヵ月間「お金がほとんどいらなかった」と女房はいう。カネはなくてもモノがあれば暮らせるのである。

「新型コロナでわかった都会暮らしの危うさ」を逆にすれば、「新型コロナでわかった田舎暮らしの強さ確かさ」ということになろうか。田舎の実家を大切にしておけ！

（2020年3月30日記）

やました・そういち 1936年生まれ。佐賀県唐津市在住。小農学会共同代表。著書『小農救国論』『身土不二の探究』（いずれも創森社）ほか多数。

いま、こんな本も読んでみたい

編集部

髙田礼人『ウイルスは悪者か』
亜紀書房、2018年

新型コロナウイルスの感染の終息が見えないこの時期に、このタイトルは挑発的に映るかもしれない。北海道大学獣医学部で大動物を研究する予定だった著者はふとしたきっかけでウイルス研究の道を歩みはじめる。研究対象はエボラ出血熱。エボラウイルスの自然宿主であると目されるオオコウモリを求めてアフリカのザンビアに行く。……という具合に著者のこれまでの研究人生が織り込まれていて、読みやすく工夫されている。

「人獣共通感染症」の病原体であるウイルスが細胞に寄生して増殖するしくみや、遺伝子が変異し、自然宿主のもとでは病気を起こさないウイルスが「宿主の壁」をこえて、他の動物へ、人間へと伝染するメカニズムが図入りで詳しく解説されている。コロナウイルスがRNAウイルスに属し、そのためDNAウイルスよりも変異が起きやすいこと、ウイルスの増殖が遺伝の過程そのものであることもわかってくる。

そして、最後まで読み進むうちに、宿主と共生しようというウイルスの側からモノを考えられるようになり、著者がタイトルに込めた意味もおのずと理解できることだろう。

ロバート・ウェブスター
『インフルエンザ・ハンター』
田代眞人・河岡義裕監訳、
岩波書店、2019年

本書の著者はニュージーランド出身のウイルス学者で、野生動物や家畜から人間へ伝播するウイルスとその伝播のメカニズムなどを研究した。といっても、研究室にこもって実験動物をつかって研究するだけではない。インディ・ジョーンズよろしく世界中を飛び回

り、オーストラリアの海鳥やカナダの渡りガモの肛門からインフルエンザウイルスのサンプルをかき集めたり、ひとたび香港で鳥インフルエンザ感染爆発が発生すれば、飛んでいって、中国や日本の研究者とともに生鳥市場や家禽農場の鳥から病原体を検出したりする。

スリリングなウイルス・ハンティングの物語を読むうちに、今回のパンデミックが専門家にとっては十分予測される事態であったことがおのずと理解できるだろう。

翻訳はウイルス学などの専門研究者が分担して担当しているが、訳文はわかりやすく読みやすい。

中屋敷 均『**ウイルスは生きている**』
講談社現代新書、２０１６年

ウイルスというものは物質と生物の間にある不思議な存在だ。遺伝子によって自己を複製する能力をもつ一方、宿主の細胞のなかで遺伝子をやりとりすることで、はじめて自己を複製することができる。そして、そのことは宿主の遺伝子に対しても影響を与えずにはおかない。

たとえば、人間の胎盤を取り囲む膜構造は胎児に必要な酸素や栄養素を通過させるが、子宮の中の胎児を母親の免疫システムから守る役目を果たしている。この膜の形成に重要な役割を果たすシンシチンというタンパク質はウイルスが持つ遺伝子に由来する。つまり、先祖がウイルスに感染し、そのウイルスがシンシチンを提供したおかげで胎盤が機能し、ヒトがヒトの形になったというのである。われわれのゲノムのある部分はこのようなウイルス由来の遺伝子に占められている。

われわれは親から子へと遺伝子を引き継ぐだけでなく、ウイルスからも引き継いでいる。ウイルスとヒトは一体化しており、ウイルスがいなければヒトはヒトになれないということだ。

ウイルスと人間や他の生物の共生を、具体例を通して実感できる刺激に満ちた本である。

山本太郎『**感染症と文明**』
岩波新書、２０１１年

感染症と人間の関係を文明史から紐解く、スケールが大きい読み物だ。

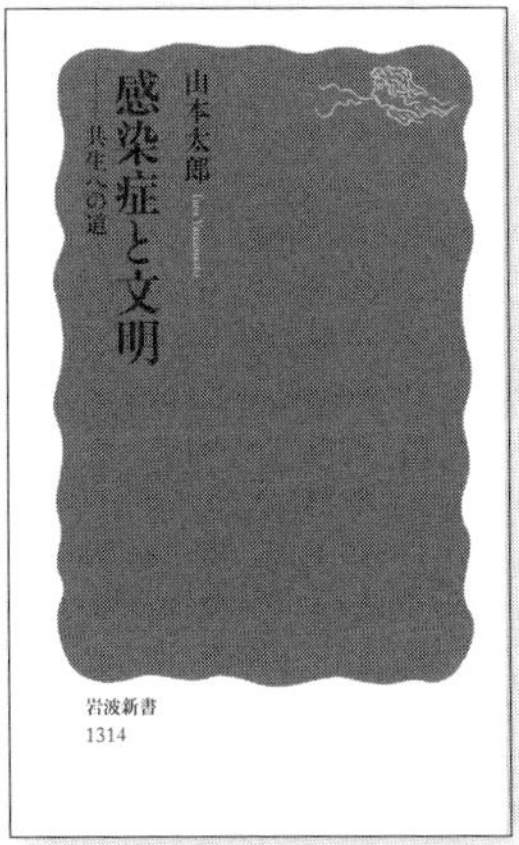

感染症と文明は切っても切れない関係にある。キリスト紀元以前の四大文明は、すでにそれぞれ風土や歴史に応じた固有の疾病（原始疾病）をもっていたという。それぞれの文明の中心社会では一定人口が感染症の流行によって失われるが、生き残った人々は免疫を獲得することで、周辺社会がとってかわるのを阻む「生物学的障壁」となる。

その一方で異なる文明が接触することで、疾病交換が起こり、文明を滅ぼすこともある。そのもっとも悲劇的な例のひとつが16世紀における旧大陸と新大陸の遭遇であり、旧大陸の侵略者がもち込んだ天然痘などの免疫をもたなかった新大陸の住民の人口は十分の一になり、アステカやインカ文明は滅亡した。

感染症が歴史の展開を早回しすることもある。14世紀ヨーロッパでのペストの流行によって、封建的身分制度は崩壊に向かった。労働力が減少して、荘園の労賃が上昇、教会は権威を失墜し、社会全体で新しい人材が登用されるようになったからだ。

ウイルスのように宿主の存在なしに生きられない病原体は宿主の環境適応性を高め、宿主自身の生存可能性を高めることがあるという。しかし、そこには「共生のためのコスト」も必要とする。「共生もおそらくは『心地よいとはいえない』妥協の産物として、模索されなくてはならない」という著者の指摘は示唆的である。

石坂匡身・大串和紀・中道宏
『人新世《アントロポセン》の地球環境と農業』
農文協、2020年

「はじめに」でもふれたように、地球環境全体に人類が影響を及ぼすようになった地質年代を、新生代第四紀完新世から1950年代以降を区分して「人新世《アントロポセン》」と呼ぶ見方が近年注目されている。

本書はこのとらえ方と地球環境問題、農業との関係をわかりやすく解説している。本来、農業は「物質と生命の循環」の担い手として地球環境保全の核となりうるが、現状の日本農業はそうなっていないとして、農業への環境支払い制度を確立し、持続的な農業農村をつくるためのビジョンを共有しつつ、地域で各種施策を総合化することが必要であると説く。

その具体例として本来の畜産への回帰、木質バイオマスの健全な循環、気候変動に備えた水利システムの恒常的な見直しの三つを提言している。著者は環境省と農林水産省の要職にあった方々。現役官僚には、ここでの先輩の提言をぜひ政策として実現してほしい。

執筆者（執筆順）

内山　節	哲学者
髙田礼人	北海道大学人獣共通感染症リサーチセンター教授
山本太郎	長崎大学熱帯医学研究所教授
山田　真	小児科医
内田　樹	神戸女子学院大学名誉教授
藤井　聡	京都大学大学院工学研究科教授
雨宮処凜	作家・活動家
磯野真穂	医療人類学者
魚柄仁之助	食生活研究家
丸橋　賢	丸橋全人歯科理事長
宮崎　稔	学校と地域の融合教育研究会会長
巻島弘敏	神奈川県立中央農業高等学校教諭
今村耕平	兵庫県立農業高等学校教諭
関野吉晴	探検家・医師・武蔵野美術大学名誉教授
高野秀行	ノンフィクション作家
那須田　淳	児童文学作家
羽生のり子	フリージャーナリスト
猪瀬浩平	明治学院大学教授
森永卓郎	経済アナリスト
古沢広祐	國學院大學客員教授
山下惣一	農民・作家

農文協ブックレット 21

新型コロナ 19 氏の意見

われわれはどこにいて、どこへ向かうのか

2020 年 5 月 10 日　第 1 刷発行

編者　一般社団法人　農山漁村文化協会

発行所　一般社団法人　農山漁村文化協会
〒107-8668　東京都港区赤坂 7 丁目 6-1
電話　03（3585）1142（営業）　03（3585）1144（編集）
FAX　03（3585）3668　　振替　00120-3-144478
URL　http://www.ruralnet.or.jp/

ISBN978-4-540-20137-0
〈検印廃止〉

DTP 制作／㈱農文協プロダクション　　印刷・製本／凸版印刷㈱
乱丁・落丁本はお取り替えいたします。